Le Tombeau de Leningrad

Editions Jets d'Encre
1 bis avenue Foch
94100 Saint-Maur-des-Fossés
www.jetsdencre.fr

ISBN : 978-2-35485-225-2

Jacques Baulande

Le Tombeau de Leningrad

Prologue

Londres, 1960, 54 Ladbroke Grove. En ce matin d'hiver, il y avait comme un raté dans le fonctionnement de la machine cosmique. Que le soleil ne soit pas levé, passe encore. D'abord, on était en Angleterre. Et après tout, Georges Soforos, qui s'en étonnait, le faisait du fond de son lit, où le retenaient encore plus longtemps qu'à l'habitude les séquelles de la soirée qu'il avait passée la veille avec... qui ? Il faudrait qu'il demande à l'Irlandais. En général, Georges se levait vers 10 heures, 10 h 30. Mais il était 11 heures pour le moins. Tous les pensionnaires de Mrs Kuhlman avaient quitté la maison et le cuisinier espagnol– il avait vaguement entendu la conversation – avait déjà pris ses consignes auprès de la *landlady* pour le repas du soir. Il ignorait à peu près tout de l'anglais, à peine moins de l'art culinaire, et Mrs Kuhlman, très digne dans son inamovible robe entre le parme et le violet, s'exprimait avec un fort accent russe. Voilà qui expliquait en grande partie le fiasco gastronomique qui concluait chaque journée. Il n'y avait guère que le Dr Khamruddin pour manifester sa gratitude en rotant bruyamment deux fois à la fin de chaque repas. Mais c'était bien par politesse !

Donc, le soleil était comme Georges, encore au lit. Mais au moins aurait-on pu espérer quelque vague lueur ! Georges était un homme de goût, et qui professait une admiration décidée pour les anatomies féminines. Dans sa chambre, toutes les surfaces, murs et plafond, étaient tapissées de photos découpées dans des magazines de charme, qui déclinaient à l'infini, en centaines d'exemplaires, le thème inépuisable de la pin-up. Dans la pénombre pisseuse qui tenait lieu de lumière, on les distinguait à peine. Georges, lui-même, était un beau garçon aux yeux de velours, un discobole à l'antique, vêtu à la moderne. Mais afin que nul n'ignore ses charmes cachés, il portait en permanence sur lui une photo qui le montrait en maillot de bain. Au milieu du dîner, il lui arrivait de s'adresser à la quinzaine de commensaux qui s'alimentaient au brouet hispano-russe : « *Do you want to see my personality ?* » Il roulait les « r ». Sa « *personality* » était excessivement poilue et la diversité des réactions témoignait du cosmopolitisme kuhlmanien. Au plus fort de la saison, on y comptait une bonne douzaine de nationalités. L'Anglais y était une espèce exotique qui ne se manifesta que pendant quelques semaines sous les traits d'une jeune fille, coiffeuse de son état et de complexion rose thé, qui ne résista pas longtemps à la babelophonie ambiante. Le haut bout de la table, autour de la maîtresse de maison, parlait russe. Le bas bout et les côtés jargonnaient shakespearien, plutôt bien chez les représentants de la Commune Richesse (prononcez « *Commonwealth* »), plutôt mal chez les allophones iraniens, français, allemands, italiens, qui mélangeaient à qui mieux mieux (à qui pis pis serait plus exact) les phonologies et les vocabulaires. À l'exhibitionnisme du bel Hellène chacun réagissait selon les codes de sa culture, entre une indifférence plus ou moins sincère et la franche rigolade. La maîtresse de maison n'était pas la moins indulgente et traitait l'incident comme une gaminerie sans conséquence.

Au milieu de l'alcôve des bow-windows, dans une petite cage posée sur un guéridon, vivait un canari qu'à son immobilité des esprits distraits auraient pu croire en peluche. On pensait néanmoins qu'il était vivant parce qu'il émanait quelquefois de la région qu'il habitait un menu « pîp ! » qu'en cette époque reculée on ne pouvait attribuer à un bidule électronique. Mais Mrs Kuhlman avait prévenu ses pensionnaires : la peluche était cardiaque et il ne fallait pas l'importuner.

Il y avait d'ailleurs dans cette maison un autre cardiaque : le docteur Kuhlman lui-même. Le docteur

Kuhlman était un grand mystère. Nul ne savait où se trouvait sa chambre et personne ne l'avait jamais vu. Mais il arrivait parfois que le silence de la maison fût troublé par une voix féminine tout aussi mystérieuse et qui prononçait des paroles bien étranges : « *One, doctor Kuhlman... two... three... Fine, doctor Kuhlman... four !* » Le docteur Kuhlman n'apprenait pas l'arithmétique, il montait ou descendait l'escalier avec l'aide de son infirmière, qui l'encourageait de cette manière, en comptant les marches : « *Seven, doctor Kuhlman ! Eight !* » Les rares pensionnaires encore dans leur chambre à ce moment-là se tenaient cois, craignant à tout moment que le sinistre décompte ne se transformât brusquement en un compte à rebours vers le zéro définitif. Le docteur agonisa ainsi pendant d'interminables mois. Il vivait encore en juin 1961.

Le docteur Kuhlman était suisse mais son épouse était russe. Elle était un membre éminent de la diaspora antibolchevique de Londres. La pension qu'elle tenait n'était peut-être pas le meilleur endroit pour apprendre l'anglais, mais constituait une passionnante société des nations. À quelques pas de là, on n'apercevait pas, ce jour-là, le n° 46. C'était le siège du *Pouchkine Club*. S'y réunissaient de temps en temps les exilés russes de Londres qui venaient y écouter des conférences ou simplement bavarder. On disait, parmi les résidents du 54, qu'on y trouvait du beau monde : le prince Youssoupov, exécuteur de Raspoutine, ou

Serge Lifar, qui fut jusque dans les années cinquante un célèbre danseur et chorégraphe. C'était l'époque des premiers spoutniks, les Soviets damaient le pion aux Yankees et le *Pouchkine Club* était perplexe : fallait-il se réjouir des succès du génie russe ou déplorer ceux du régime soviétique ? Toujours est-il que la seule fois où les locataires du 54 furent invités au 46, ce fut pour écouter un prix Nobel soviétique qui venait parler de la conquête spatiale. Finalement, le patriotisme prévalait sur la politique. David Li-Cheng était au premier rang.

Donc, Georges Soforos s'étonnait. Descendant l'escalier qui menait à la salle à manger, sa surprise allait croissant à mesure qu'il perdait de l'altitude. Le rez-de-chaussée baignait dans une brume jaunâtre qui s'infiltrait dans la maison par le trou de la serrure. Si on y regardait de près, on voyait distinctement le petit boudin de brouillard sortir comme un étron de son moule et se diluer tout aussitôt dans l'espace intérieur. La maison tout entière était devenue une cloche à plongeur, immergée dans un océan malodorant, et qui fuyait. Georges, perplexe, n'osait ouvrir la porte. Il fallait pourtant bien qu'il déjeune quelque part ! La main pesant sur la poignée, il tira lentement à lui le battant. À mesure que se dévoilait le monde extérieur, l'ampleur du cataclysme se confirmait. Au-delà du portillon qui donnait, à quelques mètres, sur l'avenue, il y avait… rien. Le *smog* avait tout avalé. On n'était pas dans le noir mais dans le domaine inquiétant des qualités en -âtre : jaunâtre, verdâtre, grisâtre. La ville avait oublié les couleurs franches, tout comme elle avait renoncé aux formes définies. Qu'on se représente une grisaille non figurative. Une transition indécise entre un « âtre » et un autre marquait la limite d'un pan de mur, une fumée verticale signifiait un arbre, un soleil mourant en altitude signalait un lampadaire. Deux lueurs anémiques en déplacement au ras du sol : une automobile. Le silence était total, toute manifestation acoustique se trouvant immédiatement épongée par la purée poisseuse qui tenait lieu d'atmosphère.

Pour ceux des habitants que leurs activités n'appelaient pas au loin, il y avait à proximité trois endroits où l'on pouvait se restaurer. Le plus chic s'appelait *Le Varsi*. C'était un snack dont la salle à manger, en forme de croissant, dominait la petite place où s'ouvrait la station de métro. Grand choix de pizzas. Moins cher, et encore moins bon, on avait le *Lion's* : « *Fish'n chips, three'n six !* ». Si les premiers mots étaient à la portée du disciple ordinaire du Carpentier-Fialip – c'était le Lagarde et Michard des études anglaises dans les années cinquante – la formule finale demande que l'on se reporte à une époque où la livre sterling valait vingt shillings et le shilling douze pence. Le penny se subdivisait en un certain nombre de farthings et la guinée, réservée aux produits de luxe et qu'on n'utilisait guère que dans les magasins chics de Regent Street, s'affichait coquettement à une livre et un shilling. Encore n'y avait-il pas de coupure d'une guinée : celle-ci était une unité purement comptable, dont l'affichage en vitrine servait de marqueur social. Concluons : « *three'n six* » = trois shillings et demi pour une portion de poisson pané et un bol de frites. La tasse de thé au lait tiède était en sus.

Georges opta pour la troisième solution. Le temps n'incitait pourtant guère à la promenade, mais l'état de sa bourse lui fit prendre le chemin de Portobello Road.

Il paraît que Portobello est devenu très populaire auprès des bourgeois-bohèmes londoniens qui vont fouiller dans les brocantes et s'encanailler sans risque dans un endroit qui a eu sa légende. Ça les change de Petticoat Lane, décidément trop connu des touristes continentaux. L'endroit n'aurait pas déparé les pages les plus sordides d'*Oliver Twist* ou de *Bleak House*. C'était, en 1960, une ruelle étroite, tortueuse, pavée de gros cailloux ronds et glissants, et qui descendait doucement vers les profondeurs de Notting Hill. La purée de pois ajoutait à son charme en faisant de chaque renfoncement dans la ligne irrégulière des façades un endroit idéal pour un guet-apens. C'est d'ailleurs pas loin de là que vivait, dès cette époque, l'un des tueurs les plus nauséabonds de l'histoire criminelle britannique, un dénommé Christie. Il fut démasqué et dûment pendu quelques années plus tard. On a peut-être été un peu sévère avec lui. Quand l'âme d'un individu délicat a été pendant des années infusée de mixtures aussi malsaines, il ne faut pas s'étonner si elle finit par s'abandonner à des pulsions ténébreuses.

Des friperies misérables, des bric-à-brac poussiéreux se succédaient sur une centaine de yards, offrant une dernière chance de servir à des épaves qui avaient dépassé depuis longtemps la date de péremption, mais dont les prix correspondaient aux revenus des semi-clochards qui fréquentaient ces établissements. C'est dans ce décor dickensien qu'un commensal de Mrs Kuhlman avait un jour découvert une gargote aux prix imbattables et dont la cuisine n'était guère pire que celle du 54 Ladbroke Grove, même si le décor était moins bourgeois : une salle nue, petite et basse, et pas de canari. L'âcreté nicotinique des cigarettes s'ajoutait ce jour-là à celle du brouillard, qui s'en trouvait du coup un peu plus épais. On ne pouvait mettre là-dedans que deux ou trois longues tables en bois nu. On s'asseyait sur des bancs et il n'y avait pas de menu. Pour un prix dérisoire, on vous servait le plat du jour, une espèce de ragoût, d'ailleurs assez copieux. Les clients n'étaient pas désagréables, c'étaient de pauvres gens. On y trouvait peu de couples (la moyenne d'âge était assez élevée), jamais d'enfants. Il était rare que la conversation s'engageât. On avait beau être tassés les uns contre les autres, chacun avalait sa pitance en solitaire sans mot dire. On peut voir des scènes de ce genre dans certains films de Chaplin, mais à Portobello, il n'y avait personne pour faire le pitre.

Pour les expatriés du 54, parmi lesquels quelques étudiants, ce brouillard était une aubaine, et ils se sentaient tenus de mettre à profit les circonstances. Enfin ils allaient découvrir le célébrissime *fog* londonien ! Une expérience quasi culturelle !

Ils avaient donc à traiter le sujet suivant :

« Vous avez eu l'occasion de connaître le fameux brouillard de Londres. Racontez ce que vous avez vu. Vous vous efforcerez de faire ressentir l'atmosphère particulière de cet événement et ses répercussions sur la vie de la cité. »

Ils se préparaient donc à voir *de visu*… qu'on n'y voyait goutte, et à sentir *de olfactu* qu'en revanche ça sentait très fort et très mauvais. Chacun étudiait à sa manière le cataclysme. Un Français avait déposé sur le perron une bouteille de lait vide. Il l'avait remontée à la fin de la journée, soigneusement cachetée et lui avait apposé une étiquette : « *Genuine English fog, 1960* ». La cochonnerie qui leur empoisonnait les poumons était de ce fait promue au rang de grand cru millésimé, plaisanterie innocente d'un natif de Bordeaux élevé dans le respect des années d'exception. Quelques jours plus tard, les parois de la bouteille seraient opaques, recouvertes de l'intérieur par une espèce de moisi-vomissure dessinant sur le verre un camaïeu verdâtre.

Pour sa part, François Blondeau avait choisi l'aventure en descendant Church Street, dans la direction de South Kensington. Il voulait voir le spectacle de la ville aux prises avec la calamité à laquelle elle devait une partie de sa réputation. Il fallait marcher doucement et bien prendre ses repères, le danger n'étant pas tant de percuter un quidam que, tout simplement, de se perdre, car tous les immeubles ayant perdu leurs étages, toutes les voies s'étant fermées en impasses, le paysage était méconnaissable. Les passants étaient rares. Presque tous avançaient le nez enfoui dans le col relevé de leur pardessus, un mouchoir sur la bouche. On aurait dit que, la ville entière ayant été dépeuplée par une épidémie, n'avaient survécu que des bossus accablés par un rhume tenace ou un deuil éprouvant. On ne les voyait pas assez longtemps pour en juger. Ils surgissaient du brouillard comme des fantômes et s'évanouissaient aussitôt. À un carrefour habituellement très encombré, il vit peu à peu apparaître et se densifier, au creux même du néant, un ectoplasme volumineux, qui se matérialisa lentement, pour revêtir au final les apparences d'un autobus londonien classique, à deux étages, rougeâtre forcément. Devant lui, le précédant de quelques mètres, comme jadis le bouvier aiguillonnant son attelage, le receveur, descendu du véhicule, guidait le chauffeur à l'aide d'une lampe torche. Le bus était vide. Dans toute la ville, erraient ainsi ces « transports en commun », complètement ignorés dudit commun, mais qui tournaient obstinément selon l'itinéraire prescrit, parce que telle était leur raison d'être, et que nul règlement ne les obligeait à s'assurer que leur mission avait encore un sens quand l'espace n'en avait plus. Peut-être y aura-t-il un jour, dans les ruines d'une civilisation défunte, des machines et des machinistes qui continueront à assurer ponctuellement le service public, faute de s'être avisés qu'il n'y avait plus de public à servir... On a bien trouvé, cinquante ans après la fin de la guerre, un soldat japonais qui résistait encore dans un atoll du Pacifique à l'invasion américaine !

Le ralentissement général de tous les mouvements surprenait, et d'autant plus qu'à la vérité chacun n'avait qu'une idée en tête, rentrer chez soi au plus vite, mais le manque de visibilité faisait du moindre déplacement une entreprise fatigante et dangereuse. François Blondeau avait l'impression de gravir une interminable côte, ou de s'être introduit par mégarde dans une séquence de l'*Orphée* de Jean Cocteau. Au moins Jean Marais y affrontait-il une bourrasque d'air salubre, et non pas ce bouillon de culture malodorant à travers lequel il lui fallut tant bien que mal retrouver le chemin de Ladbroke Grove, le visage dans le col de son manteau et son mouchoir sur le nez, comme tout le monde, car au bout d'une heure de promenade, il n'était plus question de faire du tourisme et de jouer les ethnologues. Les sinus douloureux, il se hâtait vers l'aspirine salvatrice et le bain purificateur.

La nuit commençait à tomber. C'était un soulagement car, à mesure que l'obscurité devenait plus naturelle, elle se faisait moins oppressante. Des coins les plus reculés de la ville, au même moment, une douzaine de solitaires cheminaient comme lui, qui dans le « Tube » qui à pied, vers le *Pouchkine Club*, dont une catastrophe météorologique avait miraculeusement fait un refuge désiré. Parmi eux, Georges Soforos, qui regagnait précautionneusement son harem de papier glacé. Des fenêtres s'allumaient, posaient des halos de couleurs pâlottes qui jalonnaient de plus en plus fréquemment le parcours, et donnaient l'impression d'un retour relatif à la normalité. Au 54, la salle à manger était quasiment illuminée, et quelques chambres luisaient petitement, éclairées par une veilleuse plus faible ou plus lointaine. Il était hors de question de prendre un bain, pas le temps, trop de candidats. Chacun, par égard pour les autres, se limitait à des ablutions superficielles et un peu illusoires, car pendant la journée la brèche de la serrure n'avait pas été colmatée et le brouillard s'était répandu dans toute la maison. Il mettrait quelques jours à l'évacuer. Seul un courant d'air général, toutes fenêtres ouvertes, aurait pu les en débarrasser, mais encore aurait-il fallu d'abord que l'atmosphère se fût d'elle-même assainie et que la température extérieure s'y prêtât.

Au dîner, ils étaient tous là, Georges comme les autres.

Après tant d'années de relégation dans les sous-sols de son esprit, les habitants de la pension Kuhlman s'y étaient décantés selon les règles d'une préséance dont François Blondeau n'avait pas conscience à l'époque et qui faisait que, par exemple, il devait rendre justice d'abord à Pauline Daumont.

Elle leur venait d'Afrique du Sud. Son nom montrait assez qu'elle descendait de ces huguenots français que les dragonnades de Louis XIV avaient poussés à l'exil, en Hollande d'abord, puis au bout du monde. De sa famille personne ne savait rien. Elle travaillait dans un atelier de confection, et vivait au 54 parce que son salaire ne lui permettait pas de se payer un vrai logement. Petite, et même très petite, elle avait une jolie tournure et un visage tout enjolivé de taches de rousseur qui lui étaient tombées en giboulée autour de ses yeux bleus. Les mots « frimousse » ou « minois » convenaient parfaitement à sa physionomie changeante, qui, d'une seconde à l'autre, passait de la gaminerie espiègle à une forme de mélancolie. La petite Pauline était pourtant la joie de vivre, la générosité, le sourire de la maison et leur grande sœur à tous – on parle des garçons. C'est elle qui débarrassa François Blondeau de la migraine qu'il avait rapportée de son expédition, en lui massant du bout des doigts, avec légèreté, les tempes et le pourtour des yeux.

C'est dans sa chambre aussi que se passait l'après-midi de ces dimanches anglais, certainement sinistres partout ailleurs, mais pas chez elle. Ils avaient vécu dans cette grande pièce des heures très agréables, à bavarder et à écouter de la musique, plus exactement trois disques qui constituaient la totalité de leur discothèque : l'ouverture d'*Egmont*, *Grand Canyon Suite* de Ferde Grofé, et *Les Planètes* de Gustav Holst.

Les échecs étant la passion de quelques amateurs, dont Pauline, chacun avait fini par s'y mettre, et il y avait toujours deux ou trois parties en cours. Justement, à cette époque, se déroulait un championnat du monde qui opposait les grands maîtres Tal et Botvinnik. La maison étant abonnée au *Daily Telegraph* et au *Guardian*, qui l'un comme l'autre publiaient les parties de la veille, ils pouvaient s'amuser à les analyser et à les refaire, dans la limite de leurs compétences. Le thé et les petits gâteaux étaient libéralement offerts par l'un ou par l'autre. Parmi les plus assidus à ces dimanches échiquéens, il y avait un petit Chinois de Hong Kong, David Li-Cheng, que nous avons déjà rencontré, qui étudiait la physique à Cambridge, mais qui trouvait pratique de conserver un pied-à-terre dans la capitale. C'était un garçon discret, presque effacé, mais dont le regard exprimait une intelligence hors du commun. Avec lui, on avait toujours l'impression d'être percé à jour sans jamais avoir accès à son for intérieur. Il devait être redoutable au poker. Ou dans un service de renseignements.

Une chose surprenait François Blondeau quand il se rappelait cette période, c'est que jamais, à aucun moment, il n'y eut entre eux le moindre différend politique, ni la moindre intrigue sentimentale. L'époque était pourtant agitée. La guerre d'Algérie battait son plein, l'apartheid régnait chez Pauline, qui en mourait de honte et qui aurait fondu en larmes si on lui en avait parlé, le rapport Khrouchtchev avait semé la zizanie dans le camp « progressiste » alors que l'UECF[1] était une puissance dans le Quartier latin. Il est vrai que Mrs Kuhlman contrôlait d'assez près les conversations en mettant à l'ordre du jour de son petit parlement des questions de tout repos. Chacun, à tour de rôle, exposait son point de vue. Un soir ce fut : « *What is your preferred color ?* » Difficile de susciter une émeute sur un sujet pareil ! Quant aux amours… Le seul qui s'avouât intéressé par la chose était un Irlandais dont notre héros avait oublié le nom, celui-là même à qui le beau Georges comptait demander le récit de la soirée précédente. Il n'habitait pas la maison et ne figurait pas aux repas. Il apparaissait à l'improviste, en débraillé, le plus souvent entre deux bières, et commençait immédiatement à lutiner de près une de leurs Italiennes.

Ils en avaient deux, deux Parmesanes, qui étaient arrivées en cours d'année et qui n'entendaient rien à

1. *Union des étudiants communistes de France.*

la langue anglaise. Elles dînaient côte à côte, chuchotaient ensemble en italien et partaient à tout bout de champ dans des fous rires inextinguibles. La grande brune qui excitait tant l'Irlandais portait le nom inoubliable de Giovanna l'Innocente. C'était une grande fille mince et brune, assez jolie, mais il y avait en elle une espèce de raideur qui annonçait une conversion plus ou moins imminente à une éthique bourgeoise plus austère. Pour l'instant, elle ne se défendait que bien mollement contre les attouchements gaéliques et on n'aurait pas donné cher de sa vertu s'il n'y avait pas eu de témoins. Sa copine s'appelait Nella Manici (prière d'accentuer très fortement la première syllabe et de prononcer : Má-nitchi). C'était une blonde pulpeuse, au visage encore enfantin, une future grosse qui n'en était encore qu'au stade des rondeurs appétissantes, faussement timide et secrètement effrontée. Au bout de quelques semaines, elle avait changé de maison, les deux amies ayant compris que la seule façon de faire des progrès en anglais était de se séparer. Nella habitait à quelques centaines de mètres du 54, mais il fallait traverser Holland Park pour se rendre à son nouveau domicile. Quand elle venait revoir ses premiers amis, il y avait toujours un ou deux galants garçons pour la raccompagner.

Et parmi eux, un jeune Allemand, Ernst, employé de banque, qui devait régulièrement se justifier d'employer son temps à une activité que Mrs Kuhlman trouvait bien peu « créative ». Ajoutons une Indienne en sari, dont François Blondeau ne sut jamais ni le nom ni l'emploi. Avait-il même entendu le timbre de sa voix ? Elle inspirait pourtant le respect, par la facilité avec laquelle elle avalait, comme des confitures, les piments épouvantables que le gâte-sauce espagnol mêlait quelquefois à ses préparations. Et puis Vassili, un garçon sympathique, un neveu de la maîtresse de maison, à laquelle il s'adressait, toujours en russe, avec beaucoup de déférence. Il y avait dans son comportement une pointe de préciosité, une complaisance un peu surannée pour les bonnes manières, qui pouvait s'expliquer aussi bien par une éducation aristocratique que par une option homosexuelle, mais rien de sérieux ne venait accréditer cette dernière hypothèse. Il était pour les pensionnaires du 54 un intermédiaire précieux, toujours prêt à leur expliquer les mystères de la culture russe ou de la vie à Londres.

Il arrivait parfois que la volière s'enrichît d'un oiseau de passage. La ville de Montgeron, dans la région parisienne, hébergeait apparemment une importante colonie d'émigrés russes, et parmi eux une très belle lolita de dix-sept ans, prénommée Liliane, qui avait les plus jolis yeux verts qu'on pût imaginer. Elle était le plus souvent accompagnée d'un grand dadais, Léon Détrée, si timide et si empoté qu'il était facile de le prendre pour un imbécile, et qu'ils avaient *in petto* baptisé Léon le Niais. Mais ils se trompaient peut-être, car David semblait faire grand cas de ce Léon. Il était probablement amoureux de sa compagne de voyage, mais ses chances paraissaient minces. À la vérité, chacun chargeait généreusement le pauvre benêt de ses propres fantasmes et frustrations, tant il était difficile de concevoir qu'on pût sans la désirer fréquenter la jolie fille aux yeux de jade.

I

Paris, décembre 1966. Six ans plus tard, la pension de Mrs Kuhlman était loin de son esprit alors que François Blondeau déambulait dans les rues du Quartier latin, en direction de la librairie du Globe, rue de Bucy, où il comptait trouver quelque manuel pour consolider une connaissance du russe rendue nécessaire par les développements inattendus de sa carrière. Lucile, son épouse, arpentait quant à elle le Boul'Mich', où les magasins de fringues et de chaussures commençaient à prendre la place des librairies modestes, des bistrots étudiants.

Embusqués dans les rues les plus étroites d'un quartier qui n'en manquait pas, chargeant les trottoirs de leur masse écrasante, les cars de CRS entretenaient une tension qui pouvait à tout moment provoquer l'incident et donner aux forces curieusement appelées « de l'ordre » l'occasion de reprendre la chasse aux étudiants, que la fin de la guerre d'Algérie avait malencontreusement écourtée. « Paix en Algérie ! » hurlaient-ils, en galopant sur les boulevards. Eh bien ! La paix avait été signée, les appelés étaient rentrés au pays, les harkis qui avaient échappé au couteau des libérateurs avaient été logés dans des camps qu'ils ne savaient pas encore être d'internement, les Algériens célébraient leur indépendance toute neuve en faisant la queue devant les guichets des compagnies de navigation pour venir en France trouver du travail. Ne restaient de ce passé proche que des slogans sur les façades des rues dérobées, les croix celtiques des ligues d'extrême droite et ces cars obsédants, d'où s'écoulait parfois la marée brunâtre d'une patrouille de hannetons bottés et casqués remontant la rue de La Huchette sur toute sa largeur, froissant les murs de leurs boucliers couchés comme des élytres sur les flancs de leur carapace, refoulant devant eux tous ceux qui ne trouvaient pas l'embrasure providentielle dans laquelle ils pourraient s'aplatir, guettant, de l'œil et de l'oreille, le sourire ironique, la question trop directe, le quolibet railleur, qui leur permettrait de se défouler de l'ennui et des fatigues accumulées au cours de ces heures passées dans le car, à attendre l'ordre qui les lâcherait enfin dans la rue.

Mais à vingt mètres de là, la foule, indifférente ou blasée, faisait les courses de Noël. Elle s'écoulait lentement sur les larges trottoirs du boulevard Saint-Germain, colonne montante, colonne descendante, en un flot que détournait seulement, comme une épave échouée sur les rives d'un fleuve, l'écueil malodorant d'un mendiant assis en tailleur au pied d'un platane, la main tendue et le regard vide. Patience ! Bientôt, les « événements » de 1968 permettraient à toutes ces énergies de se libérer dans un grand orgasme de violence que les Blondeau suivraient de très loin, sur les ondes courtes de leur poste radio, au bout du monde.

C'est que les choses avaient bien changé depuis l'époque où François était « boursier de séjour » au 54 Ladbroke Grove. Études terminées, agrégation en poche, le ministère de l'Éducation nationale lui avait fait le cadeau empoisonné d'un poste de fin de carrière dans Paris intra-muros, et dans les beaux quartiers. À vingt-quatre ans, il était casé. D'où sa décision de changer d'air, d'où sa visite à la librairie du Globe, curieusement insérée dans une rue entièrement dédiée au petit commerce et qui gardait comme un parfum du Paris d'antan. L'accent parigot s'y entendait encore, et le titi parisien y avait trouvé une niche écologique où retarder sa prochaine disparition. Déjà, il arrivait à l'entrée de la librairie. Les dictionnaires, manuels et méthodes diverses se trouvaient au fond du magasin.

Une main doucement sur son épaule :

« Vassili !

— Bernard ! »

Il y avait deux François au 54. Il avait donc proposé qu'on l'appelle par son deuxième prénom.

« Tu apprends le russe maintenant ? »

Vassili n'avait guère changé, et on pouvait difficilement imaginer un Russe moins conforme aux clichés qu'on s'en faisait. Il était plutôt grand, très mince, très brun et presque basané. Quelque chose de Sacha Pitoëff dans la distinction, dans l'émacié du visage et dans la fièvre du regard. Il aurait pu venir du Caucase. À moins qu'il ne fût d'ascendance juive ? En tout cas, il n'avait rien perdu de son charme, et c'est tout naturellement que leur conversation se poursuivit dans la brasserie d'à côté, où Lucile ne tarda pas à les rejoindre. Les présentations faites, on échangea des nouvelles.

Le docteur Kuhlman était mort. Son épouse n'y voyait plus guère, et Vassili l'assistait dans la gestion du 54, tout en participant activement aux activités du *Pouchkine Club*. Les pensionnaires ? Disparus. Georges Soforos était retourné en Grèce, Pauline s'était mariée, David Li-Cheng était resté à Cambridge où, le Ph.D en poche, il commençait une carrière d'enseignant-chercheur en aéronautique qui s'annonçait brillante. *Le Varsi* existait encore, mais Notting Hill Gate avait commencé un processus de réhabilitation qui promettait d'en faire un quartier chic dans peu de temps.

« Et toi ? Qu'est-ce qui te prend de faire du russe, toi qui ne t'y es jamais intéressé à Londres ?

— C'est très simple : Lucile et moi avons été nommés lecteurs à l'université de Leningrad. C'est déjà notre deuxième année. »

On ne pouvait pas dire que leurs premiers pas au pays des Soviets avaient été faciles. Nommés fin juin à l'Institut des langues étrangères de Moscou pour une prise de fonction au début du mois d'octobre, ils avaient été rappelés d'urgence du Portugal, où ils passaient leurs vacances, pour faire leur rentrée dès le 15 septembre à l'université de Leningrad. Encore n'avaient-ils appris ce changement qu'après s'être présentés à l'ambassade, où personne n'avait été prévenu de leur arrivée.

Il était 9 heures du soir. Dans la cour, une lumière filtrait sous une porte. Une dame leur ouvrit. Elle soignait sa nièce grippée, mais téléphona très obligeamment à l'ambassade de Chine, où se trouvait l'attaché culturel, pour que celui-ci vienne prendre possession de ses fonctionnaires et les emmène chez lui pour leur première nuit à Moscou. Pas question, dans ce pays, de se présenter dans un hôtel à l'improviste, sans avoir réservé *via* les canaux autorisés.

Après avoir fini un reste de pommes de terre que le diplomate conservait dans son frigo, ils visitèrent Moscou, à minuit passé, dans la voiture de leur hôte. La Place rouge étant interdite à la circulation, ils tournèrent autour pendant plus d'une heure, sans apercevoir autre chose que la grande étoile rouge sur une des tours du Kremlin et les bulbes de Saint-Basile depuis le quai qui longe la Moscova sur l'autre rive. On se serait cru dans un chapitre du *Château* de Kafka et ils se souvenaient de cette promenade comme on se souvient d'un rêve. La ville était déserte. Ville morne et laide sous la lumière plate d'un éclairage public qui visait moins à faciliter le cheminement des noctambules qu'à les maintenir sous le regard de l'Ogre qui hantait les sous-sols de ce bunker cyclopéen, aux faux airs de ministère ou de lycée : la Loubianka. Des faux airs et des faux-semblants, ils n'avaient pas fini d'en rencontrer.

Mais leur guide leur montra aussi des palais de contes de fée, le monastère de Novodievitchi, ses courtines de pierre blanche et ses tours ciselées comme des couronnes, celui de Donskoï, dont les murailles roses s'empourpraient à la lumière des lampadaires, une église anonyme miraculeusement épargnée, une petite maison de bois à l'ancienne. Encore ne fallait-il pas se laisser prendre au piège de l'idéalisation du passé : dans le contraste entre la majesté orgueilleuse des cathédrales orthodoxes et l'humilité des maisonnettes populaires, se lisait la même vérité que dans celui qui opposait au blockhaus de Dzerjinski les barres d'habitation qu'on devinait dans les faubourgs : celle d'un pays condamné depuis toujours à la tyrannie des dogmatismes. Le Kremlin et la Place rouge bénéficiaient du prestige ambigu d'avoir superposé les symboles de ces deux despotismes. Mais au moins les tsars autocrates avaient-ils un sens du Beau plus varié et plus subtil que les Soviets, qui n'en connaissaient que la dimension monumentale.

Ils tournèrent ainsi en rond pendant deux heures dans la ville immense, traversant et retraversant le fleuve, escaladèrent le mont Lénine qu'écrasait le gratte-ciel de l'université et regagnèrent le logement de leur hôte au milieu de la nuit. Ils étaient abrutis de fatigue, mais dans cet état d'apesanteur euphorique où nous plonge le sentiment d'être complètement désarmés, impuissants, et par-dessus tout délicieusement irresponsables. Ils ne savaient et ne pouvaient rien faire, ils ne comprenaient rien, mais ils n'avaient trompé personne. On les avait sortis de leur trou, qu'on s'en débrouille !

La journée du lendemain fut occupée à régulariser leur situation. On leur trouva une chambre à l'hôtel Budapest, ils découvrirent le luxe fané de l'hôtel Métropole, le bruit de vespasienne de la fontaine trônant au milieu du restaurant, la bureaucratie de l'Intourist, le labyrinthe du ministère de l'Éducation où Bernard Lobjeu, leur cicérone, désirait les présenter au fonctionnaire chargé de veiller au bon emploi de leurs compétences. Dans le large escalier qui conduisait aux étages, ils rencontrèrent une dame chargée de dossiers jusqu'au menton. Elle échangea quelques mots avec leur guide. C'était la ministre en personne, Mme Fourtseva, qui fut limogée quelques années plus tard pour cause de malversations excessives. Quand elle sut qu'elle avait devant elle les nouveaux lecteurs de Leningrad, elle leur dit :

« Ah ! Vous allez à Leningrad ? Quand vous aurez des ennuis, faites-le-moi savoir ! »

Et le lendemain soir, à minuit pile, ils embarquaient dans la *Flèche rouge*, le train de luxe qui reliait la gare de Leningrad à Moscou à la gare de Moscou à Leningrad.

Trois personnes les attendaient à la descente du train : un couple franco-suédois, Marc-Olivier Trocmé, lecteur à l'Institut pédagogique, et Katarina, son épouse, très belle, un gros bouquet à la main. Un peu à l'écart, un grand et gros homme, outrageusement moustachu, observait la scène. Il se présenta : nom incompréhensible, chargé par l'université de les accueillir et de les convoyer jusqu'au logement qui leur avait été attribué. Une camionnette était à leur disposition. Une demi-heure plus tard, ils débarquaient au pied d'un immeuble « Khrouchtchev », quatre étages sans ascenseur. Une dame bien mise s'y trouvait déjà. L'université l'avait chargée du soin d'entretenir leur literie. Tous les quinze jours, elle viendrait prendre les draps à blanchir et rapporterait des draps propres. Pour faciliter son travail, elle aurait un double de la clé et une copie de leur emploi du temps. Pratique ! Ainsi pourrait-elle procéder à l'échange sans les déranger. Elle leur fit aussi comprendre qu'elle ne parlait ni français ni anglais. Ils la crurent sur parole.

Voici donc quelle serait, en principe pour deux ans, leur nouvelle adresse : quai Ouchakov, maison n° 13A, appartement 128. Sur les bords de la Grande Nevka (en bon français : la grande petite Neva), près de l'Académie militaire de la Marine et de la rivière Noire où tomba Pouchkine, sous les balles d'un Français jaloux.

Ils y resteraient deux semaines sans rien faire, les autorités de l'université insistant pour qu'ils visitent d'abord la ville. Mais la vérité, c'était qu'il n'y avait pas un seul étudiant à la faculté, tous ayant été réquisitionnés pour aider les kolkhoziens à rentrer la récolte de pommes de terre.

Le changement d'affectation, qu'ils n'avaient appris qu'à Moscou, les avait obligés à téléphoner d'urgence en France pour rediriger deux cantines de livres et de vêtements vers les bords de la Neva. Malheureusement, l'expéditionnaire avait cru judicieux de les envoyer par voie maritime, et ils ne les reçurent pas avant la mi-décembre, après le début des grands froids. Encore fallait-il les retrouver dans le port de Leningrad. Celui-ci étant une zone militaire, il leur fallut d'abord passer par un bureau où ils présentèrent le bordereau d'expédition. Ils remplirent divers formulaires, déposèrent leur passeport et reçurent en échange un laissez-passer avec tampon et signature. Mais où trouveraient-ils leurs bagages ?

À cette question, l'homme de service répondit par un geste du bras qui couvrait un secteur notable de l'horizon extérieur et grogna quelque chose à propos d'un bus qu'il fallait prendre.

Ils se trouvaient dans un espace immense. Toutes sortes de constructions y étaient juxtaposées : hangars, entrepôts, locaux administratifs. Des grues très au loin, et la mer nulle part. Pas de rues ou de places nettement délimitées. On circulait au hasard des passages restés vacants entre les bâtiments. Un bus passa, qui semblait aller dans la bonne direction. Ils le prirent, le quittèrent presque aussitôt et entrèrent dans un entrepôt, pour voir. Ce n'était pas le bon. On les dirigea vers une maisonnette minuscule dans laquelle se trouvaient une demi-douzaine d'hommes qui se réchauffaient autour d'un poêle. Leur papier circula de main en main ; l'une d'elles, de nouveau, se tendit en direction d'un bâtiment proche. Personne ne leur demanda le moindre laissez-passer et ils auraient pu passer la journée à fouiller partout sans que quiconque s'en émeuve. La dernière indication, en tout cas, était la bonne. Ils cherchèrent dans le désordre des containers et furent assez heureux pour découvrir un cadre de bois portant leur nom et leur adresse.

Restaient à trouver : un ouvrier pour démonter la caisse, un douanier pour inspecter les cantines, un camion-taxi pour conduire le tout à leur domicile. Le premier était sur place, le second arriva peu après mais resta interdit devant la quantité de livres à expertiser : c'était un travail de spécialiste, et on ne savait pas où il était. Pendant qu'on le cherchait, le généraliste fouillait sans conviction. Il trouva une corbeille à papier que les parents de Lucile avaient ajoutée à leurs affaires pour boucher un trou. En y glissant la main, le fonctionnaire crut son jour de gloire arrivé. Il avait découvert un double-fond ! Quelques coups de couteau plus tard, la corbeille était irrécupérable et le gabelou bien dépité. La cavité était vide, naturellement. Le spécialiste étant décidément introuvable, son collègue prit sur lui de décider que les « professeurs » n'importaient rien de subversif et consentit à leur commander un « grouzo-taxi », qui arriva une demi-heure plus tard. Cela faisait trois heures que les deux Blondeau avaient franchi le seuil de la zone portuaire. Il ne restait plus qu'à en sortir.

Au poste de garde qui commandait la barrière ils présentèrent tous leurs documents et réclamèrent leur passeport. Mais il y avait un problème :

« Votre bordereau indique un bagage, et vous en avez deux !

— Bien sûr ! Nous avons reçu une grosse caisse, et elle contenait deux cantines.

— Oui, mais votre papier mentionne seulement un objet.

— Je me suis mal expliqué. Nous avons reçu une grosse grosse caisse. D'accord ?

— Oui.

— Et dans cette caisse, il y avait deux malles !

— Et moi, je ne peux pas laisser sortir deux bagages avec un document qui en indique un seul !

— C'est pourtant simple…

— Laisse tomber ! » dit Lucile.

C'était évidemment la seule chose à faire. L'homme réfléchissait. Finalement, il décrocha son téléphone et appela l'entrepôt d'où ils sortaient. Puis, quand il fut bien sûr que le poids des responsabilités avait changé d'épaules, sans rien dire, il ouvrit la barrière.

À Paris, Vassili examinait les achats de François Blondeau. Aux pieds de Lucile, un sac volumineux témoignait que, de son côté, elle n'avait pas perdu son temps.

« Vous restez longtemps à Paris ?

— À Paris, non. Juste le temps de faire quelques courses.

— Si vous continuez comme ça, vous atteindrez vite les vingt kilos…

— Aucune importance, nous sommes venus par le train !

— Et il vous reste beaucoup d'emplettes à faire ? Je suppose que vos amis russes n'ont pas manqué de vous passer des commandes ! »

Même après une année, il était très exagéré de parler de leurs « amis » russes. Mais ils avaient évidemment des collègues. Des sympathies étaient nées, des antipathies aussi. Ce qu'ils trouvaient le plus pénible c'était de ne pouvoir décider, parmi leurs connaissances, quelles étaient les personnes sûres et celles qui ne l'étaient pas.

« Naturellement ! Des stylos à bille, des rouges à lèvres, deux paires de bas nylon, un parapluie… Mais il y a un truc qui m'embête davantage… Tu connais *Gamiani* ?

— Non, qu'est-ce que c'est que ça ?

— *Gamiani, ou deux nuits d'excès.* C'est un bouquin d'Alfred de Musset.

— Et alors ? Où est le problème ?

— Le problème, c'est que les "nuits" de la Gamiani n'ont pas grand-chose à voir avec les autres *Nuits* de Musset. Tu te souviens ? "Poète, prends ton luth et me donne un baiser"… Remarque que la Muse y invite toujours le Poète à baiser, mais sans son luth. En clair, c'est un des grands succès de la littérature érotique du XIXe siècle.

— Aïe ! Et tu comptes rapporter ça à Leningrad ?

— Il faut d'abord qu'on le trouve ! »

C'était un « ami » qui les avait priés de rapporter ce titre qui manquait à sa collection. Dimitri Platonov était un traducteur de grande réputation, chef de file d'une des deux écoles de la traduction poétique à Leningrad. Les deux Blondeau étaient incapables de juger de la qualité de son travail, mais sa bibliographie était impressionnante : *La chanson de Guillaume d'Orange*, Rabelais, trois tragédies de Racine en vers russes, et beaucoup d'autres auteurs d'égale notoriété. Jamais on n'aurait imaginé qu'un être aussi massif, un colosse de cent vingt kilos, aux traits épais et au teint à la fois ou alternativement blême (il était cardiaque) et rubicond (il aimait la vodka), pût manifester autant de subtilité dans le maniement du français et de délicatesse dans les manières. Maître reconnu et respecté dans son art, il régnait sur un petit groupe de disciples, des femmes uniquement, qui lui témoignaient un respect et une soumission qui en faisaient autant un gourou, ou un sultan, qu'un professeur.

Il les avait invités un jour à déjeuner. Il habitait tout au bout de l'île Vassilievski, dans l'une des dernières « lignes », un immeuble dans le plus pur style stalinien, une variété d'architecture arts-déco dont on avait éliminé sans pitié toutes les courbes ou volutes qu'il avait pu garder de l'Art nouveau. Seul Hitler avait fait aussi bien. N'en restait qu'une combinaison géométrique de verticales et d'horizontales, raides comme le pas de l'oie des gardes qui se relayaient devant le mausolée de Lénine. M. Platonov occupait, au dernier étage, un vaste appartement, d'où il venait tout juste d'expulser son épouse, à propos de laquelle il consentit seulement à leur dire qu'elle faisait une crise de mysticisme. Une de ses « élèves » avait été chargée du repas, servi à 15 h 30, à la russe, c'est-à-dire selon les usages que les aristocrates de la Russie tsariste avaient découverts dans la France de Louis-Philippe. On leur avait servi du caviar, de l'esturgeon fumé, une pièce de gibier et deux vins caucasiens, dont une bouteille de Tsinandali, le vin préféré, leur dit-il, de Staline. Le nom les avait surpris car, quinze ans après sa mort, Joseph Djougachvili inspirait encore un tel effroi que jamais personne ne prononçait son nom. Quand la conversation rendait inévitable un rappel du passé, les Russes s'en tiraient par une périphrase : « à l'époque du Culte ».

De toute évidence, le camarade Platonov avait accès aux « magasins spéciaux », ces cavernes d'Ali Baba que le régime avait installées dans des appartements semi-clandestins, et dont le prolétariat soviétique connaissait l'existence, sans jamais en voir les trésors. Les Blondeau, qui en étaient réduits, eux, à faire les courses dans les « gastronomes » (ainsi appelait-on, et sans le moindre humour, les magasins d'alimentation du pays), ne pouvaient se méprendre sur la position de leur hôte dans la hiérarchie de cette société sans classes. L'homme avait tous les droits, et c'est sans doute ce qui expliquait sa surprenante requête.

Après le repas, les invités n'avaient pas manqué de s'arrêter devant les hautes étagères où s'alignait un choix impressionnant de chefs-d'œuvre issus des grandes littératures européennes ; un titre avait attiré l'attention de François Blondeau :

Le Livre de la Marquise.
Recueil de poésie et de prose.

C'était une anthologie de petits textes libertins, réunis et illustrés par le peintre Constantin Somof, et publiés à Saint-Pétersbourg en 1918. Lui-même avait trouvé ce livre chez l'un des trois bouquinistes de Leningrad. Vingt-cinq roubles, une fortune pour un Russe ordinaire, qui gagnait cent vingt roubles par mois, payables en liquide chaque quinzaine au guichet de son employeur. Les illustrations étaient délicates, galantes sans plus. Mais il avait apparemment la version pour jeunes filles. L'édition de M. Platonov était autrement hard : tout ce qui n'était que suggéré dans l'exemplaire des Blondeau était parfaitement explicite dans le sien. Il en avait fait la remarque au traducteur de Rabelais.

« Vous pouvez regarder, M. Blondeau, vous trouverez des choses intéressantes. Je n'ai là que quelques titres. La plus grande partie de ma collection se trouve dans ma datcha. Mais il y manque une pièce majeure. Croyez-vous que vous pourriez me rapporter, de Musset, *Gamiani* ? Vous me feriez grand plaisir. »

On ne pouvait être plus courtois dans la forme. Mais il y avait dans le ton, dans le regard, et surtout dans l'extraordinaire présence physique du personnage, une autorité qui en imposait. Cet homme-là n'avait pas l'habitude qu'on lui dise : « non ». D'autres, avant eux, plus âgés, plus aguerris, s'étaient soumis à ses désirs. Alors les Blondeau…

Lucile n'avait pourtant pas manqué d'objecter :

« Mais quand les douaniers vont mettre la main là-dessus, on va se retrouver en tôle !

— J'y ai pensé, naturellement ! Ne vous inquiétez pas ! »

Dimitri Platonov disparut dans son bureau et il en revint avec une épinglette, une de ces broches métalliques dont les Russes raffolaient et qui combinaient à l'infini une demi-douzaine des symboles fétiches du régime, l'étoile rouge, la faucille et le marteau, la gerbe de blé, le profil de Lénine, ou de Gagarine, avec quelque slogan martial, de ceux qui ornaient le faîte des bâtiments officiels ou des usines : « En avant, vers la victoire du communisme ! », « Vive le parti communiste de l'Union soviétique ! », ou bien « Paix au monde : *mirou mir* ! »

« Quand vous aurez des ennuis, contentez-vous de montrer cet insigne. Si on vous demande de qui vous le tenez, dites que c'est moi qui vous l'ai donné, on vous laissera tranquilles. »

« Quand vous aurez des ennuis » : la formule de Fourtseva

Cet insigne, Vassili l'avait maintenant entre les mains. La seule chose qui parût le singulariser était une espèce de code (chiffres et lettres) sur l'envers du motif. Peut-être le sésame qui empêcherait la porte de la prison de s'ouvrir devant eux ?

De toute façon, ils se faisaient peut-être du souci pour pas grand-chose, car où trouver, en 1966, un livre pareil ? Peu familier de ce genre de recherches, François Blondeau ne voyait qu'une piste : la librairie de Jean-Jacques Pauvert, qui avait réussi l'exploit de mettre sur le marché les œuvres complètes du marquis de Sade et *Histoire d'O*. C'est que tante Yvonne ne plaisantait pas sur la question et que les forces de l'ordre n'étaient pas toutes dans les cars du Quartier latin. Plus occultes, mais non moins efficaces, elles régentaient aussi les ministères, les institutions et les consciences. Vassili ? Difficile d'espérer de lui une aide quelconque. Le *Pouchkine Club* n'était pas un club de « rencontres » libertines.

Ils avaient tort :

« Écoute, je connais peut-être un endroit… »

Et ils prirent le boulevard Saint-Germain en direction de Saint-Germain-des-Prés, puis de Saint-Sulpice. Vassili s'arrêta devant une boutique minuscule qui présentait les spécialités du quartier : livres de spiritualité, statuettes pieuses, crucifix en tout genre, chapelets, portraits du pape Paul VI. Quelques icônes et croix orthodoxes de la crucifixion rendaient plausible que Vassili eût là-dedans quelque accointance, mais n'annonçaient en rien qu'on pût y trouver aussi de quoi satisfaire les goûts de M. Platonov.

La porte en s'ouvrant déclencha un carillon qui avait la vivacité d'une sonnette d'offertoire, sans troubler pour autant la sérénité d'un gros chat roux qui somnolait sur une pile moelleuse de linges liturgiques. Mais quelques secondes plus tard, un petit vieillard à l'œil vif se tenait devant eux :

« Vassia ! Combien d'hivers, combien d'étés ! Qu'est-ce qui t'amène chez le vieux Semion ?

— Je ne viens par pour moi, Semion Vassilievitch, mais pour mes amis. Ce qu'ils cherchent, vous l'avez peut-être en bas…

— C'est un plaisir de voir qu'il existe encore des amateurs ! Suivez-moi, mes amis, *doroguïe drouzia !* Suivez-moi. Ah, jeunesse ! Oh, *maladiets !* »

Ils le suivirent, en effet, dans un escalier qui s'enfonçait en spirale dans les profondeurs médiévales de la maison. Une crypte exiguë y démontrait tranquillement l'effrayante proximité du Bien et du Mal. Le rez-de-chaussée vantait les délices du Paradis, le sous-sol exaltait les charmes supérieurs de l'Enfer, au sens où l'on entendait alors ce mot dans les catalogues de la Bibliothèque nationale. De même que le curé Meslier écrivait toute la nuit des diatribes furieuses contre le Dieu qu'il encensait pieusement dans la journée, le vieux Semion Vassilievitch conservait dans sa cave l'antidote souverain contre les bigoteries sirupeuses de sa vitrine. Les deux Blondeau, ahuris, découvraient devant eux ce que nos meilleurs auteurs avaient écrit de plus sulfureux en marge de leurs chefs-d'œuvre officiels, ainsi que les œuvres d'écrivains non admis dans les programmes scolaires, mais qui avaient en tout cas le génie des titres prometteurs : *Félicia ou mes Fredaines, Confession de Thérèse sur ses chatouillements excessifs, Les Instituteurs libertins...*

« Regardez mes amis, fouillez, cherchez ! Que vous faut-il ?

— Nous cherchons *Gamiani.*

— Bien, très bien, bel ouvrage ! Je viens justement de rentrer une superbe édition illustrée ! Un livre rare, mes amis, qui fera honneur à votre goût. Regardez-moi ça ! »

Vassia se tenant modestement à l'écart, les deux agrégés de l'université s'approchèrent de l'*in-quarto* que l'étrange sacristain avait disposé sur un authentique lutrin, avec les gestes d'un enfant de chœur déposant l'antiphonaire au coin du maître-autel. Ils n'étaient pas très sûrs de vouloir une édition illustrée.

À peine avaient-ils soulevé l'épaisse reliure que le livre s'ouvrit comme de lui-même, à la « bonne » page. On y voyait une femme debout, penchée vers l'avant, la croupe haut dressée. La masse volumineuse de ses vêtements, rejetés sur ses épaules, montrait assez le sens de sa posture. On devinait qu'elle s'appuyait, juste derrière elle, contre les barreaux d'une cage où se trouvait un gorille, dont on ne voyait, au-dessus du bouillonnement mousseux des cotillons retroussés, que la face aux traits convulsés et les deux poings solidement accrochés aux barreaux.

La lecture du passage ainsi illustré leur apprit que la dame était en réalité une religieuse désignée sous le nom de Sainte, et le gorille un orang-outan. François Blondeau goûta en connaisseur le style de la narration, si différent de ce qu'on lui avait fait lire à la Sorbonne :

Sainte est embestialisée, divirginée, ensinginée

Beau défi pour un traducteur ! Lucile était plus réservée.

Le petit vieillard regardait par-dessus leur épaule.

« N'est-ce pas que c'est un bijou ? Les gravures, chuchota-t-il d'un air gourmand, sont de Jean de Guéthary. »

Revenus dans la boutique, Vassili et le curé Meslier eurent, en russe, un aparté de deux minutes pendant que les Blondeau examinaient par désœuvrement des pendentifs à médaillon installés sur un présentoir.

« Ils vous plaisent ? Tenez, prenez-en un, celui que vous voulez, je vous en fais cadeau ! »

Avec l'épinglette de Platonov, ils avaient maintenant deux talismans contre le pouvoir démoniaque de la douane soviétique, mais si le premier n'était guère plus, au fond, qu'un sauf-conduit, le second, plus radical, sortait tout droit de la pharmacopée d'un exorciste.

Vassili les quitta sur le trottoir.

« Quand même, c'est un sacré coup de chance que tu l'aies rencontré ! »

Mais ni François ni Lucile n'étaient aussi convaincus qu'ils voulaient bien le paraître. Dans le fond, ils n'auraient pas été mécontents de pouvoir dire à leur ami qu'ils étaient désolés, mais que son livre était introuvable. La « chance » d'avoir trouvé Vassia juste à point promettait quelques frayeurs pour le retour, malgré l'amulette de Platonov. Une autre perplexité, toute prête à devenir une inquiétude, s'était aussi logée dans un repli caché de leur conscience : les coïncidences, cela existe, bien sûr, le hasard, la bonne fortune… Mais quand même, le destin, en l'occurrence, avait fait très fort !

Cependant, faute de pouvoir proposer une autre explication à cette rencontre inopinée, ils s'en tinrent à une espèce de thèse officielle qui entérinait les paroles de Lucile.

II

Il n'y avait pas de « train » Paris-Moscou ; seulement un wagon russe qui cheminait lentement à travers l'Europe, à la remorque tantôt d'un convoi, tantôt d'un autre, au moins jusqu'à Berlin. Une fois qu'on avait pénétré dans l'espace soviétique, le voyage se faisait moins capricieux, si l'on exceptait toutefois les manœuvres compliquées à Brest-Litovsk, dont on reparlera.

Les Blondeau se présentèrent largement en avance mais ils étaient loin d'être les premiers. Ils étaient les seuls voyageurs français et il n'était pas difficile de comprendre l'engouement que suscitait chez les Russes de Paris un mode de transport aussi archaïque : il n'y avait pas de limite au nombre de bagages qu'on pouvait emporter. Sur le quai, une demi-douzaine de chariots se vidaient de leur cargaison. Dans certains compartiments, la pile des malles et cantines s'élevait jusqu'au plafond et on se demandait, en voyant ce remake d'une séquence des Marx Brothers, comment les voyageurs allaient bien pouvoir atteindre leur couchette. Les Blondeau s'en moquaient, ils avaient réservé un compartiment à deux places. Mais à peine avaient-ils posé le pied sur la première des hautes marches qui donnaient accès à la voiture qu'ils virent se dresser devant eux un personnage qu'ils connaissaient bien, pour l'avoir vu à l'aller : le fonctionnaire chef de wagon qui veillait au respect des consignes, responsable aussi du samovar qui, dans une niche au bout du couloir, les abreuverait de thé pendant les quarante-huit heures du voyage. Ce personnage avait deux organes hypersensibles, l'œil et l'oreille, et un organe déficient, la bouche, qui savait à peine parler et pas du tout sourire.

« Passeports, s'il vous plaît. »

Ils produisirent les passeports.

« Billets. »

Ils produisirent les billets.

« *Niet !* Pas possible ! Vous ne pouvez pas aller à Leningrad. »

Ils étaient encore chez eux, à Paris. Sur le quai d'à côté, les trains de banlieue chargeaient et déchargeaient des habitants de Crépy-en-Valois ou de Tremblay-en-France, qui regardaient peut-être avec envie ces privilégiés qui s'embarquaient pour Moscou.

Et eux, ils étaient déjà en URSS, comme si de ce wagon marqué aux armes du pays (à chacun son épinglette) émanait un halo d'exterritorialité qui les happait dès que seulement ils en approchaient.

On s'expliqua. Apparemment, les bureaux de l'Intourist à Leningrad s'étaient trompés. Ils leur avaient établi un billet qui leur faisait prendre la ligne directe à partir de la frontière. Or cette ligne était interdite aux étrangers, rigoureusement. Il leur fallait passer par Moscou. Et comme ils n'avaient pas de billet pour Moscou, ils devraient débarquer à Brest-Litovsk.

« Et après ?

— Vous achèterez un billet pour Moscou.

— Et quand arrive-t-on à Brest-Litovsk ?

— Après-demain à 2 heures.

— Du matin ?

— *Da !* »

Au mois de janvier !

Fatalistes, Lucile et François prirent possession de leur compartiment. Une fois installés, ils vérifièrent encore une fois que la *Gamiani* était bien emmitouflée dans les sous-vêtements de Lucile, qui pouvaient constituer une protection dissuasive si le fouilleur était un homme. François Blondeau n'avait regardé le livre que d'une manière distraite en l'achetant. Il croyait avoir acquis un ouvrage ancien, mais il en était maintenant moins sûr, malgré la page de garde, qui portait très lisiblement la date de publication, 1845. Peut-être une réimpression ? Le prix, en tout cas, était bien celui d'une édition ancienne.

Le train s'était ébranlé depuis quelques heures. Tant qu'ils seraient en territoire capitaliste, ils pourraient circuler librement dans les couloirs et utiliser le wagon-restaurant. De Berlin à la frontière russe, en revanche, ils seraient consignés dans leur voiture, et quelquefois même dans leur compartiment, le temps de traverser quelques zones sensibles, au premier rang desquelles, évidemment, le mur de Berlin.

Ils n'étaient pas sûrs de l'avoir vu à l'aller ; ils ne le verraient peut-être pas mieux au retour, puisqu'ils changeraient de planète à la nuit tombée. La transition était brutale. Cinq minutes après avoir quitté Berlin Ouest, ils se trouvaient dans un *no man's land* violemment éclairé par des lampadaires géants auprès desquels même les miradors des Vopos avaient des allures de palombières. Les projecteurs croisant leurs faisceaux de manière qu'aucune ombre ne vînt gêner le regard des sentinelles, le train serpentait lentement sous une lumière de théâtre, cherchant sa route dans le fouillis des voies entrecroisées, au milieu desquelles subsistaient des postes d'aiguillage désertés, des fantômes de quai, des carcasses de bâtiments à l'usage problématique mais de toute façon désaffectés. Le wagon, durement secoué par les changements de voie incessants, faisait des embardées. Des chocs sourds, des crissements soudains comme d'un couteau sur une lame de verre déchiraient seuls le silence des compartiments, où les voyageurs, le nez collé à la vitre et conscients de se trouver au cœur d'un des points les plus chauds de la Guerre froide, s'usaient les yeux et se fatiguaient l'esprit à chercher un sens à l'espace absurde qu'ils traversaient. Ils ressentaient jusque dans leurs nerfs la tension du mécanicien, qui menait son convoi avec la prudence alertée d'un tankiste fourvoyé dans un champ de mines. Mais de mur, point. Une fois encore, ils l'avaient raté. Brusquement, une maison normale entra dans le champ de vision des Blondeau, une autre vint bientôt s'accoler à la première ; il y eut une amorce de faubourg, puis, dans la demi-clarté d'une lumière qui n'était plus celle des projecteurs, ils devinèrent des jardins, des clôtures, sur la lisière d'un champ un tombereau oublié, les bras en l'air.

Une phrase de Gracq revint à la mémoire de François, une réflexion de l'aspirant Grange :

« Je suis peut-être *de l'autre côté.* »

Ils avaient en effet quitté la zone de responsabilité du traité de l'Atlantique Nord pour celle du pacte de Varsovie, et ils s'en aperçurent vite en voyant le nombre d'uniformes qui circulaient dans le couloir. S'agissait-il de douaniers, de policiers ? Républicains démocratiques allemands ou républicains populaires polonais ? Ils passaient rapidement sans rien dire, l'air affairé, sans plus se soucier des voyageurs que de leurs bagages.

Les Blondeau ne regardaient plus le paysage, où il n'y avait rien à voir, qu'une plaine interminable, des villages en hibernation sous leur chape de neige, des forêts noires à l'horizon. L'absence totale de marqueurs temporels n'aurait pas rendu incongrue l'apparition de quelques grognards napoléoniens, des attardés de la retraite de Russie finissant leur parcours hors délais. À Varsovie, ils furent autorisés à descendre sur le quai quelques minutes à condition de ne pas s'éloigner du wagon, mais le froid les ramena bien vite à l'intérieur.

Puis la nuit tomba. Les uniformes changèrent de couleur : les Russes commençaient à patrouiller. Un premier militaire ouvrit la porte coulissante pour leur ordonner de prendre leur passeport à la main dans l'attente du contrôle. De longues minutes s'écoulèrent. François Blondeau se leva, ouvrit la porte pour jeter un coup d'œil dans le couloir.

Un homme en armes près du samovar mit un terme brutal à sa tentative d'évasion :

« Restez où vous êtes ! Passeport à la main ! Contrôle ! »

Le flic était évidemment un pédagogue né : il parlait par phrases courtes, simples, fortement et clairement articulées. En bon professionnel de la conversation, François dut reconnaître les qualités de son interlocuteur, mais réintégra vivement sa cellule.

Il eut enfin lieu, ce fameux contrôle. RAS. Mais les miliciens ne s'intéressaient qu'aux passeports – les bagages ne les concernaient pas – et ils ne firent pas sortir les voyageurs dans le couloir comme à l'aller. Ils avaient alors soulevé les banquettes pour examiner le coffre qu'elles dissimulaient, démonté un des panneaux du plafond pour observer l'espace qui s'étendait sous le toit métallique. À Brest-Litovsk, des cheminots, munis d'une lampe électrique, avaient inspecté le dessous des voitures. Des amis leur avaient assuré qu'on y projetait quelquefois des jets de vapeur brûlants pour en débusquer des passagers clandestins. Mais ça, c'était à l'aller. Il n'y avait pas de candidats à l'immigration dans l'autre sens.

Brest-Litovsk, Brest-en-Lituanie. Justement, on y arrivait. Ils en avaient au moins pour deux heures. Le gardien du samovar, dès que le train fut arrêté, vint les prier de bien vouloir déguerpir. Pour lui, leur voyage s'arrêtait là. À part quelques silhouettes emmitouflées dans d'immenses capotes, il n'y avait pas un chat sur le quai verglacé. Les bagages empilés sur un chariot, les deux naufragés se hâtèrent vers la seule lumière visible dans le bâtiment indistinct.

Une salle d'attente les accueillit, surchauffée et inhabitée à l'exception d'un dormeur allongé sur une banquette en bois et de deux douaniers qui attendaient une improbable clientèle. On approchait de l'heure de vérité. C'étaient deux jeunes, très dissemblables, un petit, un grand. Le petit était gros, le grand était mince, comme dans la nouvelle de Tchekhov. Le grand avait un regard qu'on aurait pu juger intelligent et presque sympathique dans d'autres circonstances. Le petit n'avait pas l'air bien éveillé, et pas seulement à cause de l'heure.

Le grand leur adressa la parole, en bon français. Sans doute un étudiant qui faisait son service militaire dans les douanes.

« Vous arrivez de Paris ? »

Oui, ils arrivaient de Paris. Ils enseignaient le français à l'université Jdanov de Leningrad (petit silence, pour marquer l'intérêt de la précision) et ils étaient bien ennuyés parce qu'il y avait une erreur sur leur billet.

Le grand, impassible ; le petit, ailleurs.

« Vous avez quelque chose à déclarer ?

— Non… Je ne crois pas.

— Des livres ?

— De la littérature russe… *Le Docteur Jivago.* »

La gaffe ! Lucile lui jeta un regard consterné. Même le douanier avait l'air soudain très embêté.

« Les livres de Boris Pasternak sont interdits en URSS. Ouvrez vos valises. »

« Sainte Épinglette, priez pour nous ! » François et Lucile s'affairèrent. Le grand garçon s'approcha, palpant du bout des doigts les lainages roulés en boule autour des objets fragiles. Pasternak était sur le dessus. Il s'en saisit. La comtesse Gamiani se tenait coite sous son édredon de culottes et de soutiens-gorge. Lucile admirait les mains du joli douanier, qui avait des doigts de pianiste. La partition était courte et il en vint rapidement à la *coda* :

« Il faut que je rende compte à mon chef. Suivez-moi ! »

Ça, c'était les paroles audibles, mais son regard disait clairement qu'on n'avait pas idée d'être aussi bête et que le « professeur » aurait mieux fait de se taire. S'il avait été seul, il les aurait laissé filer, mais il y avait l'autre. Qu'avait-il compris ? Comme celui-ci faisait mine de les accompagner, il lui dit assez sèchement de rester près des bagages, avec la dame.

Le personnage devant lequel ils se présentèrent quelques secondes plus tard n'était pas un jeunot, lui. Dans le bureau où Blondeau fut introduit, il grattait du papier d'un air maussade, l'indispensable boulier à portée de main, sa casquette à galon rouge posée sur la chaise à côté de lui. Il leva sur le coupable (forcément coupable puisqu'on le dérangeait pour examiner son cas) un regard hostile. La conversation fut brève :

« Quoi encore ?

— Monsieur est un citoyen français. J'ai trouvé un livre de Pasternak dans ses bagages.

— Vous ne savez pas que cet auteur est interdit ?

— Je… l'avais oublié.

— Ce livre restera ici. Je vais vous faire un reçu. Si vous quittez notre pays en repassant chez nous dans les trois mois, on vous le rendra. »

Le douanier traduisit. Le chef se tourna vers lui :

« Vous avez fouillé tous ses bagages ? »

— Oui, camarade officier !

— Et vous n'avez rien trouvé d'autre ?

— Rien.

— C'est bon. »

Le chef griffonna le reçu promis et les deux importuns disparurent instantanément de sa conscience. Il repiqua du nez dans ses paperasses et les rejeta dans les ténèbres extérieures. Bien joué, camarade étudiant ! En se débarrassant de son compagnon, il s'était donné la possibilité d'un gros mensonge qui leur sauvait la mise et mettait la Gamiani à l'abri d'outrages autrement redoutables que ceux dont elle était redevable au gros singe du Jardin des plantes.

Pour un peu, François Blondeau aurait été presque déçu de ne pas avoir pu vérifier les pouvoirs du grigri de M. Platonov. Il retrouva Lucile et les bagages dans la salle d'attente, la rassura d'un petit signe de tête et jeta un coup d'œil sur le quai. Leur train n'y était plus. Comme, de toute façon, ils n'avaient pas de billets…

Il ne s'était pas écoulé une heure depuis leur entrée sur le territoire de la République socialiste soviétique de Biélorussie. Leur wagon était probablement sous un hangar quelconque en train de changer de roues. Ils avaient assisté à l'opération à l'aller. Le réseau ferré russe n'était pas aux normes de l'Europe occidentale, les voies étaient plus étroites. Il fallait donc, soit transborder marchandises et passagers, soit équiper le wagon de nouveaux boggies. C'est ce qu'on faisait en ce moment. Pour cela, il fallait d'abord amener la voiture sur une voie à quatre rails présentant les deux écartements. On commençait par dévisser les écrous de fixation des boggies en place. Pendant ce temps, une autre équipe installait des vérins aux quatre coins de la voiture. Dès que le wagon était désolidarisé de ses roues, on actionnait les vérins, et les voyageurs se trouvaient dans une espèce de cabane sur pilotis, deux mètres au-dessus du ballast, qui faisait penser à l'isba à pattes de poule de Baba Iaga, la sorcière des contes russes. Il ne restait plus qu'à faire glisser les boggies bourgeois par un bout et à introduire du côté opposé, mais sur l'autre paire de rails, les boggies prolétariens de remplacement. Alors la cabane redescendait doucement, les ouvriers s'affairaient de nouveau aux écrous, la représentation était terminée. Mais elle avait duré près d'une heure.

Les Blondeau, cependant, avaient compris que le mieux à faire était d'attendre que s'ouvrent au matin les guichets où ils pourraient régulariser leur situation, et ils s'apprêtaient à imiter le dormeur qui ronflait faiblement sur sa banquette. C'est alors qu'une bonne fée leur apparut, sous les traits d'une dame bien habillée, la quarantaine avenante et maquillée avec une discrétion qui manquait généralement à ses compatriotes – lesquelles en faisaient toujours trop et se confectionnaient des visages rubiconds de matriochka. La bonne fée leur fit savoir qu'elle connaissait leur situation et les invita à la suivre au premier étage. Là se trouvait un bureau où s'ennuyait un employé qui transforma en un tournemain leurs documents litigieux en billets irréprochables. Le timing était parfait. Au moment où ils regagnaient la salle d'attente, le train revenait à quai, avec, chaussé de neuf, leur wagon, et dans le wagon, le préposé au samovar. La fée les accompagna jusqu'à la portière du véhicule, ils la remercièrent et réintégrèrent sans autre formalité le compartiment dont ils avaient été expulsés deux heures plus tôt. Leur cerbère n'avait pas dit un mot et ils ne le revirent plus du voyage. Ils étaient maintenant dans un train russe et il fallait simplement être patient : si lointaine qu'elle parût, la frontière russo-polonaise n'était guère qu'à la moitié du parcours. Les heures défilèrent lentement, dans l'ennui.

À Moscou, un taxi les conduisit place des Trois Gares, où ils arrivèrent bien avant le départ de leur train de nuit. Ils tournèrent un peu en rond, entrèrent dans la gare de Kazan, point de départ du *Transsibérien*. Comme toutes les gares de Moscou, celle-ci était encombrée par une foule de voyageurs chargés de sacs à dos et de baluchons : des villageois, qui faisaient le voyage jusqu'à la capitale pour y faire provision de tous les produits introuvables chez eux. Mais la gare de Kazan desservait l'Asie centrale et la Sibérie. La foule offrait donc un échantillonnage humain digne du musée d'Ethnographie des peuples de l'URSS qui jouxtait leur faculté à Leningrad. Les gens y avaient installé des campements assez semblables à ceux de leurs steppes d'origine, avec couvertures et petit réchaud à alcool au milieu. Certains prendraient sans doute un prochain train. D'autres donnaient plutôt l'impression qu'ils étaient là pour plusieurs jours et que le hall de la gare leur servait de camp de base pour leurs expéditions dans les magasins moscovites.

Au restaurant de l'hôtel qui occupait un des côtés de la place, il fallait faire la queue. Un attroupement s'était formé, qui réussissait à se contenir dans le grand vestibule, à l'abri du froid qui ne les atteignait que par bouffées chaque fois que la porte s'ouvrait ou se fermait. Et parmi eux, un personnage émouvant dans son incongruité, un petit vieillard, l'air très digne, dont la vareuse s'ornait sur tout un côté d'un assortiment extraordinaire de décorations, qu'il portait pendantes selon l'usage du pays, où elles faisaient partie du costume de sortie. Cet homme-là était certainement un héros de la « Grande Guerre nationale patriotique ». On le sentait humilié et choqué d'avoir à subir le sort commun, sort d'autant plus absurde que chacun savait qu'il y avait certainement, au fond de la salle, au moins une table inoccupée.

C'était l'habitude. Quand il y avait peu de monde, les serveuses décidaient qu'elles ne serviraient que les clients installés au plus près des cuisines. On pouvait toujours s'asseoir ailleurs, mais elles ne feraient pas le déplacement. Si un naïf, en voyant deux en train de bavarder à l'entrée de l'office, allait solliciter leurs services, elles répondaient sans gêne qu'« à cette table, on ne sert pas ». Il suffisait de changer de place. La direction consentait quelquefois à en informer la clientèle en posant sur les tables interdites un carton plié en deux. Si, au contraire, le restaurant était bondé, surtout s'il s'agissait d'un restaurant réputé, les tables vacantes étaient moins visibles. La direction les gardait en réserve au cas où se présenteraient des officiels qu'on ne pouvait se permettre de laisser à la porte. Les étrangers au pays avaient rapidement vu le parti qu'ils pouvaient tirer de cette organisation. Brandissant leur passeport à bout de bras, ils doublaient la file et s'adressaient au portier qui gérait le flux des affamés. « *Delegatsia !* » Le mot était un sésame magique, aussi longtemps que les gargotiers voulurent bien ne pas s'étonner du nombre croissant de « délégations » étrangères qui visitaient leur bonne ville. Ce soir-là, les Blondeau ne constituaient pas une députation suffisamment nombreuse pour que l'imposture eût une chance de réussir. Ils attendirent leur tour patiemment, comme de vulgaires héros de l'Armée rouge.

Le lendemain matin, à 7 heures, ils débarquaient de la *Flèche rouge*, dans un blizzard qui balayait une espèce de farine glaciale sur les quais croûtés de neige durcie et, une demi-heure plus tard, ils reprenaient possession de leur appartement. L'isolation contre le froid était parfaite, grâce à la neige qui s'était infiltrée sous la porte-fenêtre de leur petit balcon et qui, en gelant, avait obturé la prise d'air. Sur un des lits, une pile de draps propres les attendait ; la « blanchisseuse » avait bien travaillé. Pas un livre n'avait changé de place, pas un papier. Mais le cheveu de Lucile, que François avait discrètement noué à une punaise sous le tiroir du bureau et rattaché au bâti, était cassé.

Ils n'étaient pas arrivés depuis une heure que le téléphone sonna. Lucile décrocha, prononça un « allô ? » interrogatif, et entendit seulement qu'à l'autre bout de la ligne, on reposait le combiné.

Quelque part dans la ville, un fonctionnaire consciencieux notait, sur une petite fiche ou dans un grand registre :

« Tel jour, telle heure, les Blondeau sont rentrés. *Vcio vpariadkié* : tout est en ordre. »

III

Ils auraient bien aimé se débarrasser au plus vite de la Gamiani. La facilité avec laquelle ils avaient franchi la frontière ne changeait rien au fait qu'ils détenaient un ouvrage interdit, situation d'autant plus inconfortable qu'ils avaient maintenant la preuve que leur appartement était régulièrement perquisitionné par la-dame-aux-draps-qui-ne-parlait-pas-français.

Dès le lendemain donc, ils téléphonèrent à Platonov, mais il n'était pas chez lui. Même insuccès en fin de soirée. Personne non plus le lendemain. Bien, on verrait plus tard. Renseignement pris à l'université, ils apprirent que Platonov avait été envoyé en mission à Irkoutsk. Ils cachèrent donc le cadeau compromettant dans les ressorts du divan et s'attelèrent à la préparation de leurs cours du lendemain.

Avec une année d'expérience, leur travail, sans être jamais devenu une routine, s'accomplissait avec une relative facilité. Mais les débuts avaient été difficiles. Ils avaient le sentiment dérangeant que de leur présence l'université n'attendait pas grand-chose et que, pour paraphraser Figaro, on considérait en haut lieu qu'ils faisaient assez de bien quand ils ne faisaient pas de mal.

Il y avait à cette méfiance une raison simple, qui résidait dans la répugnance des Russes à s'afficher avec un étranger. Cela n'avait rien à voir avec de la xénophobie, simplement le souci compréhensible de ne pas être un jour appelé à rendre compte d'une relation qui pouvait éveiller la suspicion de la « Grande Maison ». Comme les Russes n'envoyaient hors de leurs frontières que des personnes, quelles que fussent par ailleurs leurs compétences, dont on attendait avant tout du « renseignement », ils considéraient tout naturellement qu'il en allait de même pour les autres pays. Tout étranger était un espion, au moins potentiel, et les Blondeau avaient vite compris que leur ignorance de la langue locale avait été un atout décisif dans leur nomination, en ce qu'elle rendait presque impossible tout contact avec la population. Mais dans le doute où l'on se trouvait quant à leur véritable mission, le mieux pour les Russes était de les éviter.

Leur chef de chaire, par exemple, Alexandre Krassatkine, ne leur parlait jamais en tête-à-tête et s'exprimait toujours avec une politesse ampoulée qui était une forme de mise à distance. Il se serait volontiers passé de leurs services. Natacha, une jeune femme que ses parents avaient ramenée avec eux en URSS à la fin de la guerre, et qui avait passé son bac au lycée de Sèvres, était plus hardie. Et pourtant :

« Quand vous venez me voir, leur avait-elle demandé, s'il vous plaît, ne parlez pas français dans les escaliers ! »

D'autres étaient protégés par leur statut dans le Parti, comme Platonov lui-même, ou comme le professeur titulaire de la chaire de littératures occidentales, Victor Elaguine, ancien lecteur de russe à la Sorbonne, qui avait réussi le rare exploit de cumuler des responsabilités à la fois dans la hiérarchie universitaire et dans l'organigramme du Parti. Ceux-là pouvaient se permettre de les fréquenter. Ils étaient au-dessus de tout soupçon et pouvaient, de surcroît, leur être d'un précieux secours quand les ennuis promis par Fourtseva leur tomberaient dessus, ce qui ne manqua pas d'arriver.

Et puis, il y avait Sophia Semionovna Koukes, cardiologue à la polyclinique de l'université, qui avait osé les aborder un jour pour essayer sur eux un français très hésitant. Elle était juive. Son mari avait disparu dans les purges de 1938, pour cause de proximité avec un médecin que la police politique soupçonnait de partager les idées d'un collègue accusé de menées antisoviétiques. Elle ne l'avait jamais revu. Elle avait survécu à l'enfer des neuf cents jours du siège de Leningrad et vivotait maintenant dans un appartement communautaire avec un salaire dérisoire, sa profession ne bénéficiant d'aucun des privilèges qui semblaient normaux à un cardiologue français. Sophia avait de l'affection pour Lucile et François. Eux, ils admiraient sa force morale, son humour, son attachement à sa ville natale, et jusqu'à sa curiosité attendrissante de midinette pour les amours de Jackie Kennedy-Onassis, dont elle suivait les péripéties dans *Paris Match*. Elle leur avait fait un jour la surprise de frapper à la porte de leur appartement et, dès l'entrée, leur avait simplement déclaré ceci :

« Voilà. J'ai bien réfléchi. Je suis seule – je n'ai pas d'enfants –, je suis vieille, je ne crains rien, j'ai décidé de venir vous voir. »

Les micros n'en revenaient pas !

Sophia Semionovna, au milieu des vrais amis qui n'osaient pas se déclarer, des faux amis qui se déclaraient trop et de ceux qui avançaient masqués pour le compte des « organes » ou pour leur propre compte, sonnait juste. Sa parole sonnait juste. Elle était un visage au milieu des masques et avec elle on n'avait pas à surveiller ses mots, ni à peser les siens. Elle resta leur amie bien après qu'ils eurent quitté l'URSS. À la fin de sa vie, elle émigra en Allemagne avec six autres personnes de sa famille. Les Blondeau lui rendirent visite dans le logement confortable qu'elle occupait sur le campus de l'université d'Ulm. Elle leur fit ce jour-là un aveu qui les remplit de confusion. Après leur retour en France, ils avaient eu l'idée de lui envoyer par la poste un beau cadeau : des disques d'Édith Piaf. Les douanes lui avaient imposé des droits exorbitants qui avaient absorbé une grande partie de ses économies et elle avait dû tout revendre en catastrophe pour récupérer une partie de la dépense. Les avait-elle seulement écoutés ?

Lucile lui avait apporté une robe. Sophia, émue aux larmes, l'avait aussitôt revêtue et avait déclaré :

« Quand je mourrai, c'est dans cette robe que je veux être enterrée. »

Mais personne jamais n'informa les Blondeau du décès de leur amie. Ils comprirent lorsque leurs lettres restèrent sans réponse.

Voilà pourquoi, dans ces années qui voyaient l'ascension de Leonid Brejnev et le début de ce que les Russes appelleraient plus tard l'« ère de la stagnation », il était si difficile à la douzaine de lecteurs qui, de Minsk à Oulan-Bator, prétendaient répandre l'amour de leur langue de trouver des oreilles attentives.

Les lecteurs de Leningrad étaient affectés à la chaire de philologie romane, façon de leur faire comprendre qu'on entendait bien limiter leur emploi au perfectionnement lexical et grammatical d'étudiants déjà formés et à l'enrichissement des archives sonores du laboratoire de langues. On attendait d'eux uniquement une contribution linguistique. Encore le mot « linguistique » était-il par trop flatteur. D'abord parce que l'université semblait tout ignorer de cette matière, qui devenait en Europe et en Amérique la discipline de référence pour toutes les sciences humaines ; on n'y connaissait que la grammaire. Ensuite parce que l'enseignement de cette grammaire était de la responsabilité exclusive d'une personne, Nadiejda Maximilianovna Steinberg, dont on ne pouvait contester ni la compétence ni le dévouement à la langue française. Il leur restait donc des « cours » de conversation, avec les seuls étudiants capables de tirer profit d'un échange qui, par la force des choses, se ferait uniquement en français. Donc, ils conversaient.

Les sujets qu'ils mettaient sur le tapis au début de leur ministère n'étaient guère plus passionnants que ceux qui constituaient l'ordinaire des dîners chez Mrs Kuhlman. C'est qu'il fallait faire connaissance. On marchait sur des œufs. Ils demandaient à leurs interlocuteurs de faire les courses, de voyager, de visiter un musée. Mais une vraie sympathie avait peu à peu réchauffé l'atmosphère. François Blondeau avait décidé de jouer à fond sa carte maîtresse : son ignorance totale des arcanes de la vie quotidienne des Soviétiques. Il leur faisait part de ses étonnements :

« Pourquoi, dans le menu des restaurants, indique-t-on le poids des mets ? »

« Pourquoi les gens ont-ils presque tous un sifflet ? »

« Que fait-on des bouteilles vides puisque les magasins ne veulent pas les reprendre ? »

« Et pourquoi les pieds de notre lit sont-ils posés dans des bocaux à confiture ? »

Les élèves, que ces naïvetés mettaient de joyeuse humeur, répondaient sur le ton de l'évidence :

- Que le client pouvait demander à ce qu'on pèse la portion, s'il avait des doutes sur la quantité.
- Qu'en cas de problème, il suffisait de siffler de toutes ses forces pour que le milicien le plus proche accoure au grand galop.
- Qu'il fallait les porter dans un *priomni pounkt*, le centre de collecte du quartier.
- Que c'était le meilleur moyen de se protéger des punaises ! Seulement, il fallait remplir les pots avec un insecticide, qui empêcherait les parasites de remonter du plancher dans la literie.

Et si le taxi, quelquefois, leur faisait visiter toute la ville pour une course d'un quart d'heure, c'est qu'il arrivait en fin de semaine et qu'il n'avait pas atteint les objectifs de son plan personnel. Les yeux fixés sur le compteur, il roulait jusqu'à ce que son *quorum* kilométrique soit atteint.

Mais Blondeau n'osait pas leur demander pourquoi, à la cafétéria de l'université, il n'y avait pas de couteau, obligeant les professeurs à manger leur cervelas comme une banane, embroché sur la fourchette.

Si la question posée demandait un exposé un peu construit, la réponse arrivait une semaine plus tard, avec un plan immuable, en deux parties :

I : Avant la Révolution

II : Depuis la Révolution

François Blondeau découvrait le sens de l'histoire.

Les étudiants s'amusaient de son ingénuité. Les langues se déliaient, il entendit ses premières « anecdotes » (la langue russe nous avait emprunté ce mot pour désigner des histoires drôles.) Parmi les bonnes blagues qu'on lui raconta, quelques semaines seulement après sa prise de fonction, il y avait celle-ci :

« Dans un pays, il y a un lion qui terrorise les habitants. Impossible de l'attraper. Comment faire ? »

Le Français n'avait aucun avis sur la question.

« Eh bien, il faut attraper une souris. On la torture jusqu'à ce qu'elle avoue qu'elle est un lion. Alors on la tue ! »

Fallait-il en rire ?

Et les deux Blondeau lorgnaient désespérément vers la chaire des littératures occidentales, où ils espéraient que quelqu'un, un jour, s'intéresserait à eux.

Dans leurs bagages, ils avaient mis des poèmes de René Char, Pierre Jean Jouve, Saint-John Perse, René-Guy Cadou, Michaux, Supervielle. Tous ces noms étaient inconnus des philologues de leur département qui avaient leur propre écurie : André Wurmser, Jean Laffitte, Jean Kanapa, Roger Garaudy, André Stil… dont les œuvres étaient une mine inépuisable de citations pour leurs manuels, aussi irréprochables grammaticalement que l'étaient politiquement leurs auteurs.

Ce long combat pour se faire une place avait occupé une bonne partie de la première année. Il avait laissé des traces. Lucile, dont l'hypocrisie diplomatique n'était pas la vertu dominante, s'était attiré l'inimitié féroce de la « secrétaire » de la chaire – en fait le numéro deux, tout de suite après Krassatkine – en faisant la moue devant un cours de « conversation » auquel elle avait été invitée pour lui montrer ce qu'on attendait d'elle. Elle avait même peut-être dit quelque chose sur l'utilité, à son avis douteuse, de faire venir des agrégés de si loin pour « ça ». La remarque n'avait pas plu.

Quelques semaines avant la fin de l'année universitaire, une assistante, qui faisait partie d'un groupe de « jeunes professeurs » avec lesquels ils travaillaient, avait invité François Blondeau à une petite promenade sur les bords de la Neva. Ils avaient devant eux le plus beau paysage de la ville, un panorama grandiose qui s'étendait de la cathédrale Saint-Isaac à la forteresse Pierre-et-Paul, en passant par la flèche de l'Amirauté et le Palais d'hiver. Un décor de rêve pour un colloque sentimental. Mais Irina avait d'autres intentions… Elle informa Blondeau que Dourakinova se répandait partout en clamant haut et fort que les lecteurs de français ne reviendraient pas l'année suivante, qu'ils avaient beaucoup déçu et qu'on n'en voulait plus. Mais eux, les « jeunes professeurs », les aimaient bien et ils les avertissaient à toutes fins utiles. Blondeau la remercia et ne fit rien. Quelques jours plus tard, ils avaient au téléphone une femme en larmes, l'adjointe au chef de la chaire de cinéma. C'est à elle qu'ils confiaient les films qu'ils rapportaient de l'ambassade, afin qu'elle les enferme dans son coffre en attendant que la commission dite de « contrôle » leur donne ou non la permission de les montrer aux étudiants. Marina Protopopova, hystériquement francophile, leur disait la même chose qu'Irina : leur renvoi était décidé.

Seulement, au bout d'un an, les Blondeau avaient eu le temps d'identifier les forces en présence et ils s'étaient fait de solides alliés dans le camp des libéraux. Ils eurent donc un entretien avec le très influent Victor Elaguine, déjà pressenti pour le décanat et secrétaire du parti pour la faculté des lettres. Il les écouta attentivement, ne promit rien, mais fit une grimace significative.

Dourakinova ne faisait pas le poids. Quelques semaines plus tard, quand elle se leva pour lire, devant le conseil de clôture de la faculté, le rapport dans lequel elle expliquait tout le mal qu'elle pensait des Blondeau,

Elaguine, sans bouger de sa chaise, déclara posément qu'il n'était pas d'accord et qu'il s'opposait à ses conclusions. Le conseiller culturel, Albert Thibaudeau, à qui ils racontèrent la scène à la rentrée, leur répondit simplement :

« Si elle vous embête, je peux la faire sauter. »

Il y avait évidemment du Fourtseva là-dessous. Magnanimes, les Blondeau pardonnèrent.

Il faut dire que Victor Elaguine faisait partie depuis quelques semaines de leurs « élèves ». Préparant avec deux de ses collègues une anthologie de la poésie française contemporaine, il avait eu l'idée de demander aux lecteurs de les aider en mettant à profit les ressources de leur bibliothèque poétique de voyage. C'est ainsi que, forçant le barrage qui les retenait dans la « philologie », les Blondeau avaient pénétré sur le territoire plus exaltant de la littérature.

Ils travaillaient dans un local connu sous le nom de « caves ». Ce nom n'avait rien de métaphorique. Il s'agissait en effet de salles minuscules, aménagées dans le sous-sol du bâtiment historique, et donc vétuste, qui abritait la faculté. Elles prenaient le jour par des soupiraux au ras du plafond, vus de l'intérieur, au ras du trottoir, vus de l'extérieur. Dès la première chute de neige, ils étaient obstrués par des congères qui ne les obscurcissaient pas complètement, mais qui rendaient tout travail impossible sans lumière. Elles étaient donc éclairées en permanence par des ampoules électriques qui pendaient nues au bout de leur fil torsadé. N'eût été leur mobilier, on les aurait appelées des cachots. Les tableaux étaient si vieux, si usés par des décennies de frottements et de lessivages que leur surface, écaillée ou lustrée, refusait les services d'une craie qui n'était pas non plus de première qualité.

Les Blondeau vécurent là des heures passionnantes, à parler langue, littérature, cinéma, à des étudiants ou à des enseignants qui n'iraient jamais à Paris, qui le savaient et qui en connaissaient par cœur la topographie. Deux filles s'étaient inventé un jeu : l'une d'elles donnait les noms de deux stations du métro parisien ; l'autre – sans plan ! – décrivait le parcours avec les correspondances et les numéros des lignes.

Thibaudeau aimait bien Leningrad et veillait de près au confort de ses lecteurs. C'était un homme efficace et consciencieux, qui adorait jouer de sa voix de stentor, moins pour intimider qui que ce soit que pour desserrer un peu le carcan du langage diplomatique qui le gênait parfois aux entournures. Avec les lecteurs, retrouvant sa liberté d'étudiant, il rajeunissait et il pouvait se lâcher. Ce qu'on aurait pu prendre pour de la brusquerie était l'expression d'une sympathie qui s'affranchissait, par ce moyen, des hiérarchies de l'âge et de la fonction. Par exemple, il n'aurait pas fallu faire une grosse bêtise !

Il ne surprenait donc personne en annonçant à l'improviste (« Allô Blondeau ? Je serai chez vous mardi prochain ! Vous pouvez prévenir Krassatkine ? ») une visite que les Russes seraient les seuls à prendre pour une inspection. Il n'était pas exclu non plus que l'on s'imagine, du côté du Bureau des étrangers, que l'ambassade en profiterait pour faire passer quelques consignes à ses envoyés spéciaux à Leningrad. Les propos que le conseiller tiendrait au chef de chaire dissiperaient donc toute ambiguïté, en portant ostensiblement, et exclusivement, sur la qualité du travail accompli par les lecteurs. Et il donnerait du crédit à ces entretiens de pure forme en assistant en personne à l'une de leurs prestations. C'est qu'en réalité, son seul but était de renforcer la position de ses administrés auprès des autorités locales en montrant l'intérêt qu'il leur portait et l'estime dans laquelle il les tenait. Il n'aurait jamais accepté qu'on les manipule à d'autres fins et souhaitait par-dessus tout éviter le mélange des genres en confondant enseignement et renseignement. C'était une formule qu'il répétait souvent.

Pour sa causerie du jour sur Saint-John Perse, François Blondeau s'apprêtait donc à prendre l'escalier des caves pour y retrouver ses élèves, trois docteurs respectés, qui se mettaient de bon cœur à l'école de ces « bébés pédagogiques », comme ils les avaient appelés une fois. Il n'y avait là ni mépris ni condescendance, mais une forme de sympathie amusée et gentiment ironique.

Mais ce jour-là, la rencontre ne se tiendrait pas dans les caves. La petite conversation amicale, exceptionnellement baptisée « conférence », aurait lieu dans une des grandes salles de la faculté, sous le portrait d'un Lénine véhément, haranguant les prolétaires de tous les pays.

Lorsque Blondeau entra dans la salle avec le diplomate et ses trois auditeurs attitrés, il y avait déjà une trentaine de personnes qui les attendaient. Il en connaissait une demi-douzaine. Le visage de quelques autres lui était vaguement familier. Quant au reste… c'étaient des figurants, dont beaucoup sans doute ignoraient le français, mais que les organisateurs avaient convoqués pour faire la claque et montrer au représentant de l'ambassade que l'on appréciait la politique de collaboration culturelle de la France gaulliste à leur égard. À chacun ses méthodes dans cette comédie permanente où il fallait toujours déchiffrer la vérité sous les apparences. Au discours convenu du diplomate, les Russes répliquaient en bourrant une salle de conférence comme on bourrait ailleurs des urnes, et les Blondeau, dans leur ingénuité, s'étonnaient de ces mots et de ces gestes à double sens, sans se douter que, dans un avenir très proche, les événements leur distribueraient un rôle dans cette mascarade. Ils vivaient sans le savoir les derniers jours de leur innocence, ayant déjà chez eux la machine infernale qui la ferait exploser. Ainsi préparée, la conférence fut évidemment un succès.

Puis le conseiller et ses administrés s'en allèrent déjeuner à l'hôtel Europe. On fit le point sur quelques problèmes qui se posaient pour la quinzaine de « boursiers de séjour » français. M. Thibaudeau en conclut qu'il lui faudrait bientôt revenir pour avoir une discussion sérieuse avec le recteur de l'université et demanda à ses interlocuteurs de se tenir prêts à se joindre à lui pour étoffer un peu la délégation française. Les Blondeau, de leur côté, se gardèrent bien de lui parler de Platonov et de sa bibliothèque érotique.

Quelques jours plus tard, Platonov lui-même téléphona. Il était revenu d'Irkoutsk et les invitait à prendre un thé la semaine suivante. Ils seraient seuls. Pas un mot ne fut dit concernant la Gamiani, ce n'était pas nécessaire.

Ils sortirent donc le livre de sa cachette pour y jeter un dernier coup d'œil. Lucile, qui l'avait d'emblée considéré avec un dégoût marqué, consentit à le lire. Le prologue lui plut. L'auteur, prudemment anonyme, y expliquait qu'il était tout à fait possible d'écrire un ouvrage libertin sans utiliser le moindre de ces mots violemment obscènes qui en font le lexique ordinaire. En somme, il se proposait d'écrire des horreurs dans un langage châtié. Elle s'était installée dans le fauteuil qui tournait le dos à la fenêtre et elle lisait, avec une réticence marquée. Son époux ne fut donc pas autrement surpris de l'entendre s'exclamer :

« Mais qu'est-ce que c'est que ce livre ?!

— Ah ça, évidemment, ce n'est pas la comtesse de Ségur !

— Je ne te parle pas du texte, je te parle du livre. Je te dis qu'il y a des défauts dans le papier. Viens voir ! »

Elle avait posé l'index sur une page et lui tendait l'ouvrage pour qu'il le voie en pleine lumière.

« C'est vrai, tu as raison, il y a comme une marque, un loupé dans la trame. Peut-être un motif en filigrane ? »

Et il leva le livre pour examiner la page par transparence. Lucile vit son regard s'altérer. Il tourna lentement plusieurs pages, examina encore et resta silencieux.

« Alors ? Qu'est-ce que tu en dis ?

— Rien du tout ! Le papier a mal vieilli, c'est tout. »

Mais en même temps, il mettait vivement un doigt sur ses lèvres, avant de montrer les murs autour d'eux, d'un large mouvement circulaire de la main.

« Il ne neige plus. Si on allait faire un tour dans les îles ? J'ai envie de faire des photos. La Neva doit être magnifique ! »

IV

François avait raison. Le fleuve, gelé depuis plusieurs semaines, était superbe. Sa surface n'offrait pas du tout le visage lisse d'un étang ou d'un canal, et n'avait rien d'une patinoire. La violence du courant, les alternances de gel et de dégel qui marquaient le début de l'hiver avaient eu pour effet de morceler la glace en formation, d'en bousculer les éclats qui se ressoudaient en sculptures compliquées, en millions d'icebergs miniatures, accolés les uns aux autres, et dont l'éclat vibrait comme une harpe de lumière, dès que les touchaient les doigts obliques du soleil.

Pour voir ce spectacle, il fallait à vrai dire se porter sur la rive opposée de l'île de Pierre. Par un mystère inexpliqué, et par les plus grands froids, la partie de la Grande Nevka qui se trouvait devant leur immeuble, en amont du pont Ouchakovski, ne gelait jamais.

L'eau, d'un noir de fusain, coulait entre deux étroites banquises qui s'accrochaient aux rives sans jamais se rejoindre. Comme s'il y avait eu, à cet endroit, sous le lit du fleuve, une source de chaleur. L'académie militaire de la marine se trouvait juste en face… Peut-être une installation secrète, une centrale, un centre de recherches ?

François Blondeau savait saugrenue cette hypothèse qui lui était venue à l'esprit l'hiver précédent. Mais la découverte qu'il venait de faire la rappelait à sa mémoire. Ils vivaient décidément dans un pays qui, de plus en plus, lui paraissait semblable à la boutique du faux dévot de Saint-Sulpice : la vitrine était un trompe-l'œil. La vérité était cachée dans les profondeurs. Lors d'un voyage à Kiev, ils avaient été attirés, de l'autre côté de la large avenue du Krechiatik, par un magasin qui arborait dans sa devanture des objets bizarrement colorés, dont l'éclat contrastait agréablement avec les empilements symétriques de boîtes de conserve qu'on y trouvait habituellement. Ils étaient allés y voir de plus près : c'était des oranges pourries. Se souvenant du fameux voyage de Catherine II à la découverte de son empire, François se demandait si on ne devait pas parler, malgré les dénégations des historiens, d'un « syndrome de Potemkine » : faux villages peut-être pas, mais faux public à sa conférence sûrement, fausses démocraties faussement populaires, faux livre, faux vendeur, hélas faux ami, et maintenant faux hiver sur le fleuve. Mais qu'attendre de mieux d'un pays dont les dirigeants maîtrisaient si bien, vingt ans avant la date choisie par Orwell, le vocabulaire falsifié de la « novlangue »?

Ils attendirent, pour parler, d'avoir traversé le pont et quitté la bruyante avenue Kirov. Une fois qu'ils se trouvèrent dans les allées enneigées et presque désertes de l'île, ils purent tranquillement s'expliquer :

« François, tu m'inquiètes. Qu'est-ce que tu as trouvé dans ce bouquin ?

— Les marques que tu as vues… ce ne sont pas des marques, c'est du texte !

— Un palimpseste ? Et qu'est-ce qu'il raconte ?

— Je n'en sais rien. Ce n'est ni du français ni du russe. Sous le texte de Musset, mais à certaines pages seulement, un message est inscrit en filigrane. Mais ce n'est pas un texte écrit. Ça ressemble plutôt à une feuille de calculs. On y voit des chiffres et des symboles mathématiques. Platonov s'est servi de nous pour transmettre des renseignements sur je ne sais quoi. Tu peux être sûre que la Gamiani ne va pas rester longtemps chez lui. Le vrai destinataire est ailleurs !

— Tu veux dire qu'il nous a embarqués dans une affaire d'espionnage ?

— Tu vois une autre explication ? Pas étonnant qu'il ait été si sûr de lui avec son épinglette à la con ! Le danger, ce n'était pas les douanes soviétiques, c'était la DST ! »

Les grossièretés de vocabulaire n'étaient pas dans ses habitudes ; celle-ci témoignait de sa colère et de son inquiétude.

Ils poursuivirent leur promenade quelque temps sans rien dire. Ils passaient sans les voir devant de superbes villas qui avaient appartenu autrefois aux privilégiés de l'empire. Volets clos, elles étaient pour l'heure inoccupées, mais elles étaient bien entretenues et n'étaient pas en déshérence : faux-semblants là encore, faux abandon d'un patrimoine dont les propriétaires vivaient masqués.

« Et maintenant, qu'est-ce qu'on va faire ?

— D'abord porter le livre à Platonov comme si de rien n'était.

— Il risque de nous en commander un autre ! »

Blondeau n'y avait pas pensé, mais la chose était vraisemblable. Il pouvait aussi leur demander de porter un courrier dans l'autre sens…

« Tu ne crois pas qu'il faudrait prévenir Thibaudeau ?

— Si, absolument ! Mais on ne va pas aller à Moscou pour ça. Ça ne pourrait que leur mettre la puce à l'oreille. Et on ne peut pas lui téléphoner. Attendons qu'il revienne.

— Il ne va pas être content !

— Ce sera pire s'il l'apprend par une autre voie. Jusqu'à présent, nous ne sommes que des naïfs. Si nous nous taisons, nous devenons des complices.

— On pourrait ne pas avoir découvert l'astuce

et croire, « naïvement », que nous avons seulement importé un livre érotique en fraude ?

— Évidemment. C'est moins dangereux de passer pour un imbécile que pour un traître. Mais ça n'est pas plus flatteur ! »

Ils en restèrent là ce jour-là et prirent quelques photos… pour la forme. Le cœur n'y était pas, Lucile ayant bien résumé la situation :

« Nous nous sommes mis dans de beaux draps ! »

L'impossibilité où ils se trouvaient de parler librement dans l'appartement les obligeait à garder pour eux leurs angoisses dès qu'ils en franchissaient le seuil.

C'est que les histoires de micros dans les lieux fréquentés par des étrangers n'étaient pas une invention de journalistes ou de voyageurs désireux de se faire valoir en s'inventant un petit rôle dans un scénario d'espionnage international. Personne ne les en avait clairement informés, et ils ne connaissaient leur existence que par des journaux dont le parti pris politique discréditait les faits les mieux avérés. Mais une fois sur place, le ragot était devenu une évidence qui ne demandait pas confirmation. Le jour où Natacha, en leur rendant visite, avait proposé qu'on mette un disque, ils s'étaient étonnés. Le jour où elle avait suggéré, dans un billet griffonné sur ses genoux, qu'ils aillent bavarder dehors, ils avaient compris. Ne manquait qu'une preuve tangible. Mais ils ne la désiraient pas, et plutôt que de la chercher en démontant les ampoules ou le téléphone, ils prenaient bien soin, au contraire, de se désintéresser ostensiblement de la question pour ne pas s'attirer des ennuis. Il avait donc fallu que le hasard s'en mêle.

Un jour qu'ils descendaient l'escalier pour prendre au bas de l'immeuble le bus qui les conduisait à leur travail, ils avaient croisé la dame aux draps qui montait chez eux. Puis, François s'était rendu compte qu'il avait oublié quelque chose et il était revenu sur ses pas. Comme il débouchait sur le palier, il découvrit la visiteuse plantée devant le placard aux compteurs qui se trouvait à côté de leur appartement. Il y avait là-dedans une espèce de coffret dont elle extrayait quelque chose avec précaution. Elle se retourna et leurs regards se croisèrent. Ce qu'elle tenait à la main, c'était une cassette de magnétophone. En une fraction de seconde il avait compris, et elle avait compris qu'il avait compris. Il n'était pas possible, ni pour l'un ni pour l'autre, de feindre le contraire. Il entra sans rien dire dans le logement et en ressortit presque aussitôt avec le livre qu'il avait oublié. Le placard était déjà refermé, et il n'y avait plus personne en vue – seulement, au rez-de-chaussée, le battement redoublé de la porte à ressorts qui se refermait sur quelqu'un.

Platonov les accueillit chaleureusement. Une table garnie les attendait, la théière bien au chaud sous une coiffe isolante, décorée de motifs empruntés à l'art populaire : *babouchki* en farandole dans un décor de bouleaux. Sans attendre, ils lui remirent l'objet de ses désirs :

« Voici pour vous, M. Platonov. C'est tout ce que nous avons trouvé. J'espère que cela vous plaira.

— Mais comment donc, mes chers amis ! C'est une splendeur ! Ah ! c'est l'édition de 1845… Où donc avez-vous déniché ce trésor ? On m'avait assuré qu'il était devenu introuvable ! »

Et en même temps, en bibliophile averti, il palpait de ses gros doigts le papier duveteux du précieux volume, comme il l'aurait fait des appas mêmes de la Gamiani, ou plutôt – Lucile en fit la remarque plus tard – comme un aveugle qui vérifie la présence, et la qualité, d'un texte en braille.

La conversation fut joyeuse. Platonov était d'excellente humeur. Le récit de la visite à Semion Vassilievitch le fit beaucoup rire :

« Oh oh oh ! Voyez-moi ça, ces "hypocrites bigots, vieux matagots, haires, cagots, cafards empantouflés" ! Comptez sur eux pour humer le piot et trousser la gueuse ! »

Pas de doute : il avait lu Rabelais.

« Et quand donc retournez-vous à Paris ? »

Lucile et François échangèrent un regard.

« Pour les vacances du premier mai, sans doute. Mon père n'est pas en bonne santé.

— Vous m'en voyez désolé. Mais je ne peux accepter de recevoir un cadeau si précieux sans vous marquer ma reconnaissance. Est-ce qu'une icône vous ferait plaisir ? Rassurez-vous, il s'agira d'une œuvre moderne, son exportation sera tout à fait légale, et je vous procurerai une attestation de la direction des musées. Vous êtes déjà allés à Pskov ?

— Pas encore, mais c'est dans nos projets.

— Quand vous irez là-bas, ne manquez pas de visiter l'église de la Dormition. Ce n'est pas un chef-d'œuvre, tout juste une petite église des faubourgs. Mais le pope est un ami. Nous avons combattu ensemble sous les murs de Leningrad. Il s'était juré devant moi que, s'il s'en tirait, il se ferait moine. Figurez-vous qu'il a tenu parole ! Il s'est retiré à Pskov et il s'est mis à la peinture sacrée. Demandez le père Athanase. Quand il saura que vous venez de ma part, il vous donnera une de ses œuvres. Vous viendrez me la montrer. Et nous reparlerons de votre prochaine visite à Saint-Sulpice ! »

Les Blondeau quittèrent Platonov à la fois angoissés et excités. Le piège se refermait, mais ils approchaient de plus près l'intime de cette société compliquée, fascinante et dangereuse.

Il n'était que 5 heures mais il faisait déjà nuit. Pour rentrer chez eux, ils devraient changer de bus place Léon-Tolstoï. Il y avait là un *gastronome*. Ils en profiteraient pour faire quelques courses. Généralement, c'était François qui s'en chargeait car il était impossible de rien acheter si on n'était pas capable de parler, si mal que ce fût, la langue du pays. À deux, ils gagneraient du temps.

Naturellement, le magasin était bondé. À droite en entrant, se tenait la caissière dans une espèce de cage vitrée. Les comptoirs s'alignaient sur la périphérie du magasin. Trois « sections » : produits laitiers, viande, légumes et conserves. Le mode d'emploi était simple : une petite demi-heure d'explications par les Trocmé et une démonstration *in situ* dans une boutique de la Nievski avaient suffi à leur initiation. Avant de passer au comptoir, il fallait se présenter à la caisse, annoncer ce qu'on voulait acheter – d'où l'obligation de parler russe – et payer. La caissière, à l'annonce de votre commande, calculait le prix sur sa caisse enregistreuse, vérifiait avec son boulier et vous remettait un ruban de papier à présenter aux serveuses des différentes sections. L'acheteur visitait ensuite successivement les trois comptoirs, formulait de nouveau sa requête et détachait la partie correspondante de son reçu, que la vendeuse embrochait sur une aiguille, avant de lui donner sa marchandise. Il suffisait donc de faire quatre fois la queue.

Hélas, ce bel ordonnancement souffrait de dysfonctionnements multiples. Si l'on voulait du lait, par exemple, il ne fallait pas se contenter de vérifier, de loin, qu'il y avait bien des bouteilles ; il fallait aussi s'assurer que le lait n'était pas caillé. Il ne fallait pas non plus considérer comme allant de soi qu'on trouverait des œufs, des oranges, de l'huile d'olive ou même un poulet. Tous ces produits manquaient régulièrement à l'appel, et il existait une expression officielle pour vous le faire savoir : ils étaient « en déficit ». Comme tout le monde devait vérifier que le produit convoité n'était pas ce jour-là « en déficit », avant de passer à la caisse, il fallait d'abord faire la queue au comptoir pour s'en assurer. D'où l'intérêt, comme les Blondeau, de s'y mettre à deux, l'un sur le chemin de la caisse, l'autre en patrouille dans le magasin pour lui signaler, par de grands gestes, l'état présent de l'approvisionnement. La cohue s'en trouvait augmentée d'autant. Mais il ne fallait pas se méprendre sur son apparent désordre : constituée qu'elle était d'une demi-douzaine de files d'attente enchevêtrées, elle était en fait secrètement structurée par des courants invisibles que révélaient parfois des échanges insolites :

« Vous allez où ?

— À la viande. »

Pesant des reins et des épaules contre la pâte humaine qui l'enserrait, le client fourvoyé opérait alors une rotation sur place qui le réinsérait dans ce qu'on hésitait à appeler le droit chemin.

Et quelquefois le payeur, en se présentant devant la caissière, ne savait toujours pas ce qu'il pouvait se permettre de lui demander. Il passait alors son tour, filtrant les suivants un à un par un mouvement de tourniquet, avant de reprendre sa place quand l'information lui était parvenue. Ainsi organisé, le petit commerce soviétique allait son bonhomme de chemin « en avant vers la victoire du communisme ».

Les Blondeau achetèrent des pommes de terre, des carottes, un chou et un morceau de viande, que n'importe quel Français aurait appelé de la bidoche tant il avait mauvaise allure. On n'avait pas tellement le choix : la viande était classée en deux « catégories » : première et deuxième. Dans chacune d'elles, on distinguait ensuite une première « sorte » et une deuxième. Pas question de demander une entrecôte ! On trouvait rarement autre chose que du bœuf, mais François n'oublierait jamais le spectacle qu'il avait un jour surpris : un boucher, au physique d'Hercule de foire, débitant un foie de bœuf congelé à grands coups d'une hache dont le fer était un disque gros comme un trente-trois tours. C'était, à la lettre, une boucherie.

Lucile avait repéré, ce jour-là, au milieu des os et des tendons qui constituaient la plus grande partie de son morceau, une boule de chair moelleuse qui était probablement du filet. Le reste partirait en pot-au-feu. Ils mangeaient souvent du pot-au-feu.

Le seul incident se produisit lorsqu'elle présenta son reçu pour deux cents grammes de « fromage soviétique ». La vendeuse avait découpé une tranche qui accusait, sur sa balance, le poids excessif de deux cent dix grammes. Impossible de retrancher les dix grammes en excès : qui voudrait acheter dix grammes de fromage ? D'un autre côté, on ne pouvait quand même pas donner deux cent dix grammes de marchandise à une cliente qui n'en avait payé que deux cents ! Mais les bureaux avaient tout prévu. Le morceau fut mis en attente et Lucile reçut un avis à présenter au boulier, qui l'invitait à payer un « supplément » (*doplata*). Il ne lui restait plus qu'à refaire la queue. Le cas de Lucile étant relativement fréquent, les bureaux avaient décidé qu'il y aurait deux queues distinctes devant la caissière : elle aurait, d'un côté, la queue normale et, de l'autre, celle de tous les malchanceux qui devaient demander un supplément, ou un remboursement s'il arrivait que le produit, pourtant disponible à leur arrivée, fût subitement tombé « en déficit » pendant qu'ils attendaient. Naturellement, les personnes qui faisaient la queue pour la deuxième fois avaient la priorité sur les autres. Il suffisait de brandir son bout de papier en annonçant « *doplata !* ». Tout était prévu. Au moins, ce jour-là, la caissière avait-elle pu leur rendre la monnaie, et pas un demi-bonbon comme cela se produisit une fois.

Faire les courses à Leningrad en 1967 était donc une activité fatigante et les Blondeau retrouvèrent avec plaisir le confort presque douillet de l'appartement n° 128 du quai de l'Amiral-Ouchakov.

Le lendemain était un jour libre, ils n'avaient rien à faire à l'université. Ils en profitèrent pour passer au coup de fil aux Trocmé, qu'ils n'avaient pas revus depuis leur retour de vacances. Marc-Olivier et Katarina étaient des amis précieux, connaissant très bien, en plus du pays et de sa langue, les petites combines qui facilitaient l'existence. Pourtant, comme tous les lecteurs du pays, à l'exclusion des Blondeau, ils vivaient à l'hôtel et n'avaient donc à se soucier ni des courses ni de la cuisine.

Rendez-vous fut pris à l'hôtel Moscou, où ils avaient leur chambre, le lendemain pour le repas de midi, les restaurants s'étant ralliés aux horaires occidentaux – seuls les particuliers avaient conservé l'usage ancien de déjeuner tard.

Avant de les retrouver dans leur chambre, les visiteurs n'oublièrent pas de saluer la *dijournaïa*, personnage essentiel au bon fonctionnement de l'hôtellerie soviétique. Son nom venait de l'expression « être de jour », en usage dans l'armée française, au moins depuis Napoléon. Les Russes en avaient tiré le verbe *dijourits*, « être de service », et le nom *dijournaïa*, qui désignait une femme chargée d'assurer une permanence, par exemple dans un hôtel. On en trouvait une à chaque étage, assise à une petite table, avec registre et téléphone, et placée de manière qu'elle puisse surveiller à la fois l'ascenseur et l'escalier. Elle notait toutes les allées et venues, et il était prudent de se concilier ses faveurs par un petit cadeau de temps en temps, en tout cas par une marque sensible de politesse.

Les Trocmé revenaient de Moscou, où ils étaient allés emprunter un film pour leurs étudiants. Cette fois-là, ils avaient trouvé *À bout de souffle* de Jean-Luc Godard, plus deux documentaires de la série *Les yeux dans les yeux*, sur le mont Saint-Michel et les hospices de Beaune.

« Ils vont encore nous reprocher de faire de la propagande religieuse, s'amusait Marc-Olivier, qui ne s'en inquiétait pas autrement.

— Bah ! Godard compensera !

— S'ils l'acceptent ! »

La prudence de Marc-Olivier s'avéra prémonitoire. Le film fut en effet refusé au motif qu'il présentait un gangster sympathique. Il faut dire que le projectionniste ne leur avait pas facilité la tâche en intervertissant les bobines. Le résultat de ce montage inattendu était de déporter le générique au milieu du film, mais, surtout, de placer en séquence d'ouverture le meurtre d'un motard de la police, qu'un Bébel rigolard expédiait dans le fossé. C'était beaucoup demander au jury que de recommander un tel film aux étudiants.

Lucile et François avaient décidé d'un commun accord de tenir leurs amis à l'écart de leurs problèmes. De toute façon, ils ne pouvaient rien pour eux, et si les choses tournaient mal, il valait mieux qu'ils ne sachent rien. Leurs dénégations n'en seraient que plus convaincantes. Ils se contentèrent donc de prendre les dernières nouvelles du service culturel. Mme de Bernay, la documentaliste, venait de toucher une nouvelle collaboratrice russe, une Svietlana qui était une vraie peste et qui ne pensait qu'à fourrer son joli nez partout où il n'avait rien à faire, pour se faire valoir auprès du service qui l'avait placée là, en réponse à une demande de l'ambassade. Il était connu que tous les vendredis, les employés russes allaient rendre compte de ce qu'ils avaient observé pendant la semaine. Mais ils annonçaient surtout deux événements majeurs, qui leur promettaient bien des émotions dans les semaines à venir : une tournée du TNP de Jean Vilar à la fin du mois d'avril et, deux mois plus tard, au moment des nuits blanches, la visite d'état du général de Gaulle qui passerait cinq jours à Leningrad. Pas question de rater ça, et l'ami Trocmé avait déjà fait savoir au conseiller Thibaudeau que les lecteurs tenaient à être de la fête. Il en avait reçu l'assurance formelle.

L'hôtel Moscou se trouvait près de la gare du même nom, très loin du quai Ouchakov. Les trolleys sur la Nievsky étaient bondés et les Blondeau eurent la malchance de se trouver coincés près de la tirelire au capot transparent où les voyageurs laissaient tomber leurs quatre kopeks, avant de tourner la molette qui délivrait les billets. Il y avait bien des inspecteurs, mais pas de receveurs. Le paiement se faisait sous la surveillance du collectif des voyageurs, dont la vigilance était sévère. Faire tout un trajet à proximité du tronc aux offrandes constituait une responsabilité redoutable pour qui ne connaissait pas les usages. Les voyageurs ne pouvant s'approcher du tronc, ils faisaient passer leurs pièces de main en main, avant que le billet ne prenne le même chemin en sens inverse. Et c'était justement au voyageur le mieux placé de gérer le flux de pièces et de billets, et quelquefois de collecter suffisamment de kopeks pour rendre la monnaie à tel ou telle qui n'avait qu'une grosse pièce. Cela obligeait à une comptabilité compliquée, et à assimiler les formules, heureusement stéréotypées, qui accompagnaient les échanges : « Faites passer ! », « Monnaie SVP ! », « À qui le billet ? ». La seule fois où ils avaient pu prendre les camarades voyageurs en flagrant délit d'indulgence, c'est un ivrogne qui en bénéficia. Il était dans un tel état, de toute façon, qu'on se demandait bien comment on aurait pu obtenir de lui la pièce requise.

Les pochards étaient nombreux et ils semblaient avoir un statut un peu privilégié. On en trouvait souvent un sur le verglas du trottoir, le visage cramoisi, inerte. Les passants l'enjambaient sans autres scrupules, sachant bien qu'un car de ramassage de la milice ne tarderait pas à le conduire un peu rudement dans une cellule de dégrisement. On rencontrait aussi des trios, bien vivants ceux-là, qui se constituaient au hasard dans les magasins. C'était Trocmé qui leur avait appris le truc. Quand on était au courant, on pouvait repérer, à proximité du rayon des alcools, des solitaires qui pianotaient discrètement du bout des doigts sur le revers de leur blouson. Le code signifiait : « Part à trois pour une petite ? » Une « petite », c'était bien sûr une vodka d'un demi-litre. Quand l'assoiffé avait recruté deux partenaires et que chacun avait payé son écot, ils allaient s'asseoir n'importe où, sur un banc ou sur un tas de neige, pour vider une bouteille de Moskovskaïa ou de Stolitchnaïa. Puis, les moins atteints encadraient le plus chancelant, pour dissimuler autant que possible son état aux regards des miliciens, et allaient le déposer sur le paillasson de son logement. Ils sonnaient et, sans attendre que la porte s'ouvre, ils prenaient la fuite en direction de leurs propres pénates, le plus valide rentrant seul et le dernier par ses propres moyens.

Les passagers, ce jour-là, réussirent à obtenir de l'homme en difficulté l'adresse de son domicile. Ils se concertèrent pour établir son itinéraire, et quand vint le moment de changer de bus, ils le confièrent à une vieille femme qui le guida vers l'arrêt suivant, avec mission de trouver un relais qui poursuivrait la prise en charge. On peut penser que le malheureux finit par rejoindre son foyer. Mais seules les vieilles acceptaient de rendre ce service, et on ne savait pas ce qu'il entrait de pitié, ou de mépris, dans leur attitude.

La saignée de la guerre avait produit un déséquilibre démographique qui faisait que, par la force des choses, les femmes étaient plus nombreuses que les hommes. Elles étaient aussi un peu moins portées sur la vodka et conscientes du rôle qu'elles continuaient à jouer pour tenir, vaille que vaille, le pays en état de marche. On en trouvait très peu dans les hautes sphères du pouvoir, mais elles étaient partout aux échelons subalternes et c'était elles qui faisaient marcher la boutique. Elles n'étaient donc pas dupes du discours officiel sur les mérites de la Révolution dans l'émancipation de la femme.

Les étudiantes de Lucile, consultées sur la question, se récrièrent avec ensemble que l'égalité des sexes dans leur pays avait essentiellement consisté à leur imposer les mêmes corvées qu'aux hommes, souvent les plus lourdes, sans diminuer en rien la tyrannie machiste à la maison. La guerre des sexes faisait rage, aggravée par des conditions de logement déplorables qui multipliaient les occasions de divorce. Lucile avait rencontré une femme, guide à l'Ermitage, que son mari avait abandonnée à la minute même où il avait appris que c'était une fille qu'elle venait de mettre au monde. François, de son côté, avait entendu dans un bus, le dernier mot d'une prise de bec entre deux mal embouchés de sexe opposé :

« De toute façon, vous êtes un homme ! »

Il ne fallait donc pas compter sur la jeune génération pour jouer les *nianias*, les bonnes d'enfant, et raccompagner à la maison des poivrots qui, à peine dessoûlés, paresseux et violents, reprendraient leurs habitudes de parasites.

Un philosophe français, de passage dans la ville pour une tournée de conférences, et auquel ils avaient fait part de leurs observations à l'hôtel Europe entre deux prestations de l'orchestre, leur avait expliqué que les ivrognes bénéficiaient peut-être de la considération qu'on accordait autrefois aux fous, aux délirants ou aux vaticinateurs, qu'on soupçonnait d'être habités par des êtres qu'il valait mieux ne pas offenser. Il y avait en eux quelque chose de sacré, et la sollicitude qu'on leur témoignait pouvait se comprendre comme une très lointaine survivance des superstitions chamaniques.

V

Le travail des lecteurs ne se limitait pas à papoter avec les étudiants, ni même à chaparder par-ci par-là des occasions de « conférences » littéraires. Ils croyaient aussi de leur devoir d'apporter des livres et de diffuser des films. D'où l'initiative de Marc-Olivier.

En ce qui concerne les livres, les Blondeau avaient cru bien faire, au début, en rapportant de chaque voyage à Moscou une pleine valise de livres de poche, qu'ils remettaient solennellement à l'un des responsables de la chaire. On les remerciait, on prenait possession des bouquins et personne n'en entendait plus parler. Ils inventoriaient discrètement le contenu des rayonnages. Ils interrogeaient les étudiants : rien. Ils se tournèrent donc vers le professeur Krassatkine et retinrent de sa réponse embarrassée une information surprenante :

« Ils sont à la reliure. »

Relier des livres de poche ! Ils venaient de découvrir la censure.

À partir de ce jour, ils gardèrent pour eux les ouvrages qu'ils s'étaient procurés et organisèrent un service de prêt direct aux étudiants. Ils étaient d'ailleurs prudents et prenaient bien garde de ne pas laisser filer un titre qui aurait risqué de compromettre la sécurité idéologique du régime, sachant qu'il y avait dans chaque groupe un chef de groupe, qu'il aurait été insultant d'appeler un mouchard, mais dont le rôle s'en approchait quand même quelque peu. Il se considérait lui-même comme une espèce de délégué de classe et ne voyait rien de déshonorant à rendre compte, à qui le lui demandait, de ce qui se passait autour de lui. L'activisme culturel des Blondeau était donc notoire, mais personne ne leur en fit le reproche. À la fin de leur séjour, ils remirent en grande pompe toute leur bibliothèque à M. Krassatkine. Le professeur exprima sa très vive reconnaissance et leur offrit en échange, devant la chaire réunie, une gerbe de vainqueur du tour de France, qu'ils remirent le soir même à leur bonne amie Sophia Semionovna tout étonnée.

Mais c'est en montrant des films qu'ils avaient découvert les cocasseries de la censure. Elle était à la fois incontournable, tatillonne, imprévisible, et étonnamment poreuse.

Le principe était simple. Dès qu'ils revenaient avec un film, ils devaient en aviser le « Bureau des étrangers ». C'était une antenne du service des visas, qui administrait la colonie étrangère de l'université. Cela fait, ils portaient les mallettes à la chaire de cinéma, où leur amie Protopopova, sous l'œil réprobateur de son patron, les enfermait immédiatement dans un coffre-fort. Puis une commission « de contrôle » (le mot « censure » était lui-même censuré) visionnait le film et donnait son avis. Il y avait trois degrés : interdiction, autorisation, autorisation sélective, pour un public averti.

Il ne restait plus qu'à se conformer à la décision du jury.

Mais pour bien comprendre la suite des opérations, il serait peut-être utile de corriger une idée généralement reçue concernant l'URSS.

Du fait qu'il s'agissait évidemment d'un état totalitaire, on imagine un pays dirigé à la prussienne et des citoyens robotisés par une discipline de fer. C'est d'ailleurs l'image que donne Astolphe de Custine de *La Russie en 1839*, un livre que les historiens considèrent comme un compte-rendu partial et partiel de la monarchie tsariste, mais où ils reconnaissent aussi une anticipation visionnaire de ce que serait plus tard le régime stalinien :

« Si ce n'est pas un bon livre sur la Russie en 1839, c'est à coup sûr un livre excellent, sans doute le meilleur de tous sur la Russie de Staline, et un livre encore pas mauvais du tout sur celle de Kossyguine et de Brejnev », écrit Simon Nora, citant George Kennan.

Il semble que ce jugement sous-estime quelque peu l'extraordinaire force d'inertie du peuple russe. Que le régime ait rêvé de le caporaliser n'est pas contestable. Qu'il y soit arrivé, les Blondeau voyaient chaque jour des raisons d'en douter. Le régime brejnévien, dont le pouvoir, en 1967, n'était pas encore bien consolidé, était une dictature molle, tempérée par l'indolence, la paresse, le coulage, l'alcoolisme et le système D. Si on ajoutait à cela l'absence de chômage, le droit pour chaque travailleur de changer à son gré d'employeur, l'obligation faite à celui-ci, non pas d'atteindre, mais d'approcher dans des proportions tolérables les objectifs du plan, ce qu'il ne pouvait obtenir sans acheter la complaisance des « travailleurs » par des concessions qui n'allaient jamais dans le sens de la productivité, on se surprenait à penser que l'expression « dictature du prolétariat » était moins inappropriée qu'on ne le croyait. Mais il fallait lui donner un sens qui n'était pas celui de la *Pravda*.

Le « contrôle » des films se ressentait de cette tyrannie pagailleuse, qui s'embourbait dans le maquis de ses propres prescriptions et dans la nonchalance de ses agents. Il était donc tout relatif.

- D'abord la « commission de contrôle » n'existait pas. C'était aux Blondeau d'en recruter les membres parmi leurs collègues, lesquels ne se bousculaient pas pour en faire partie. Ils avaient autre chose à faire, ou bien ils se méfiaient : et s'ils se trompaient de décision ? Et si le lecteur avait la maladresse, ou la perversité, de leur donner à voir une œuvre subversive ? Celui-ci choisissait donc ses juges, en invitant Dourakinova et en l'encadrant par quelques poids lourds de la faction libérale. Mais de toute façon :
- Le jour de la séance, au lieu de la demi-douzaine de personnes attendues, on en trouvait souvent une bonne vingtaine. Le bouche à oreille ayant répandu l'information qu'on allait projeter un film français, un certain nombre de resquilleurs s'étaient installés silencieusement au fond de la salle. Parmi eux, beaucoup d'hommes – le cinéma français avait la réputation de ne pas éviter des scènes déshabillées…
- Le verdict ne valait que pour l'université. Quand le film avait été visionné sur l'île Vassilievski, il traversait la Neva et la procédure recommençait à l'Institut pédagogique Hertzen, chez Trocmé. Les étudiants passaient les ponts, tantôt dans un sens tantôt dans l'autre, selon la décision des commissions.
- Protopopova n'en faisait qu'à sa tête. Disposant des clés du coffre, elle organisait tard le soir des

projections privées à l'intention de ses amis et connaissances. Elle prenait même le risque de diffuser le film en ville, ce qui valut une fois à Lucile un rappel à l'ordre du Bureau des étrangers. C'est ainsi que le clou de la saison cinématographique française cette année-là fut un nanar de cape et d'épée, genre *Marquise des Anges*, qui s'appelait *La Bigorne, caporal de France*. Il circula en ville pendant plusieurs mois. Les étudiants leur en donnaient des nouvelles avec un petit sourire, en les assurant qu'il reviendrait à la fac à la fin de l'année. Il réapparut en effet, peu avant leur départ, en même temps qu'un disque de Brassens, qui avait de son côté, et pendant la même période, fait connaissance avec une grande partie des magnétophones de la ville.
L'*Orphée* de Cocteau, par exemple, n'eut pas cette chance. Il se heurta à l'opposition de Dourakinova : « Moi, je n'y comprends rien, et j'aime bien comprendre. Jean Marais, il aime sa femme ou il aime la mort ? »
Verdict : réservé aux professeurs.
Marc-Olivier Trocmé n'avait pas été plus heureux à l'Institut Hertzen.

Qu'à cela ne tienne ! Quand ils avaient épuisé les démarches auprès des institutions universitaires, les lecteurs attaquaient les « Maisons ». Marc-Olivier, arrivé le premier, s'était réservé les plus intéressantes :

Maison des écrivains, Maison des peintres, peut-être une ou deux autres. Il n'avait laissé à François Blondeau que la Maison des architectes, où son correspondant était un certain Stoltenberg. Ils se donnaient rendez-vous sur un banc, dans le petit parc qui s'étendait au pied de la grande bâtisse. Stoltenberg était un être affable, mais taciturne, qui ne se prêta jamais à une relation un peu plus personnelle. Le premier arrivé attendait l'autre, qui ne tardait pas. La mallette changeait de mains (les architectes n'acceptaient que les documentaires artistiques) et on fixait le rendez-vous suivant. Blondeau fut invité une seule fois à assister à la projection.

À chaque fois, les étudiants et les professeurs étaient informés des séances. À eux de trouver le moyen de s'y faufiler.

Restait enfin le musée de l'Ermitage où la seule idée d'une séance de contrôle les faisait bien rire ! Le problème avec eux, c'est qu'il était très difficile de leur apporter un film qu'ils n'aient pas déjà vu. La culture occidentale était bien présente dans le pays, mais il fallait des lettres de créance pour accéder aux lieux secrets qui l'abritaient, réserves de l'Ermitage ou collections de la bibliothèque Saltykov-Chtchedrine, protégées par un système ingénieux de laissez-passer. Les Blondeau avaient été une fois conviés à la visiter. On leur avait montré la bibliothèque de Voltaire et quelques ouvrages ayant appartenu à Diderot, qui n'avait pas eu la chance, lui, de voir sa collection intégralement conservée en un même lieu. Ils avaient eu surtout la surprise d'y apprendre que se trouvait là une grande partie des archives de la Bastille que les émeutiers du 14 juillet avaient jetées par les fenêtres. L'ambassadeur russe, qui avait compris la valeur de ces papiers, avait immédiatement envoyé son carrosse et quelques laquais pour ramasser tout ce qui traînait. Dans le département des manuscrits, dont ils feuilletèrent le catalogue, ils trouvèrent un inédit de Voltaire, une biographie du poète Jean-Baptiste Rousseau.

La culture occidentale, française mais pas seulement, subsistait aussi dans la mémoire, dans les manières, dans les nostalgies de quelques familles, qui les avaient reçues en héritage de leurs ancêtres. Mais combien en restait-il ? Quand Jean Vilar viendrait se produire dans une des maisons de la culture, on pouvait être certain que la salle serait remplie d'un public qui ne perdrait pas un mot des dialogues de Molière ou de Marivaux. Les Blondeau, de leur côté, connaissaient plusieurs représentants de cette fameuse intelligentsia, pour laquelle l'« internationalisme » était plus culturel que prolétarien. Mais ils en exagéraient certainement l'importance.

L'exil, dès 1905 mais surtout après 1917, les persécutions, la guerre, le blocus, qui avait fait un million huit cent mille morts dont huit cent mille civils, toutes ces catastrophes accumulées sur deux générations avaient presque anéanti le vieux Pétersbourg ; Les autorités avaient reconstruit les bâtiments, restauré même les palais tsaristes dont elles respectaient la valeur patrimoniale. Mais elles ne pouvaient pas – ni ne souhaitaient ! – ressusciter une élite intellectuelle acquise aux valeurs de l'Occident. À la libération, la ville avait été repeuplée en puisant dans toutes les régions de la Russie. Cela donnait une population plus docile, heureuse de bénéficier des relatives facilités d'une grande ville, mais évidemment formatée selon d'autres valeurs, qui avaient peu à voir avec le Siècle des lumières. Le moins compétent des étrangers reconnaissait, dans les magasins, les autobus, le parler brutal, rugueux, des néocitadins, et la prononciation souple et musicale des Pétersbourgeois.

Les survivants des temps anciens racontaient des histoires navrantes. À Blondeau, qui s'intéressait aux livres français qu'on trouvait quelquefois dans des « magasins commissionnés », ils déclaraient :

« Si vous saviez le nombre de livres précieux que nous avons dû brûler pour nous chauffer cinq minutes de plus pendant les hivers du siège ! »

Et en les écoutant, les Blondeau oubliaient les cachotteries de Krassatkine, la bibliothèque clandestine de Platonov et les soucis qu'ils devaient à l'un et à l'autre. Le conseiller Thibaudeau ne se manifestait pas. Peut-être viendrait-il avec le TNP ?

S'il y avait une personne à remercier entre toutes pour son acharnement à défendre la langue et la culture françaises, c'était bien Nadiejda Maximilianovna Steinberg. Elle était la petite-fille de Rimski-Korsakov et l'un des piliers des études françaises à l'université. Sa grammaire faisait autorité. Mais son titre de gloire, c'était d'avoir été à l'origine du petit théâtre français, au milieu des années trente, dans l'une des périodes les plus sanglantes de la terreur stalinienne. Peut-être son ascendance prestigieuse l'avait-elle aidée ? C'était une femme très discrète, qui ne se confiait qu'à peu de gens, dont les lecteurs ne faisaient pas partie. Petite, menue, timide ou modeste – ou prudente –, elle parlait d'une voix douce un français raffiné où passaient parfois des archaïsmes de vocabulaire qui la rendaient presque touchante. Elle leur avait énuméré un jour toutes les « *chrestomathies* » de la bibliothèque. Une autre fois, par un beau jour d'automne, elle avait déclaré : « *Il fait aujourd'hui un temps de demoiselles.* » Interloqués, les deux Blondeau s'étaient demandé ce que cela signifiait et d'où elle tirait cette expression qu'elle considérait manifestement comme courante. Il leur fallut bien des recherches pour la trouver dans la bouche d'un marin de Maupassant, qui l'utilise pour désigner un temps parfaitement calme, idéal pour inviter les dames à une promenade en barque.

Peu de gens connaissaient les avanies que lui avait probablement values sa passion pour la France.

Son théâtre, elle l'avait installé dans un haut lieu de l'histoire russe, le palais de ce même prince Youssoupov, dont il se chuchotait à Londres qu'on le voyait parfois au *Pouchkine Club*. Il est maintenant ouvert à la visite, mais à l'époque, l'État en avait confié la gestion au « syndicat » des enseignants de la ville. Ils y organisaient des conférences, des expositions. Volets fermés, rideaux tirés, le palais, reconverti à un usage collectiviste qu'il récusait de toute la force dérisoire de ses stucs poussiéreux et de ses dorures fanées, survivait dans une léthargie fantomatique. Des salons, des corridors, des antichambres se succédaient, agrandis par la pénombre, et plus funèbres encore de n'offrir au regard que des meubles recouverts de leurs housses blanchâtres, cadavres pompéiens pétrifiés dans leur linceul de cendres. Le grincement d'une lame de parquet éveillait des échos révélateurs de profondeurs insoupçonnées. Les portraits sur les murs communiquaient quelque chose de leur inconsistance au visiteur occasionnel, à demi clandestin, fantôme lui-même d'une nécropole abandonnée dans un silence qui était vraiment « de mort ».

Mais la déambulation débouchait sur une merveille bleue et or, en parfait état de conservation : le petit théâtre baroque du prince. C'était un théâtre à l'italienne, avec sa scène, ses coulisses, son rideau de brocart, fosse d'orchestre, parterre et balcon. Il pouvait accueillir quelques dizaines de spectateurs et trois musiciens. C'est là que Mlle Steinberg s'installa avec quelques passionnés de ses amis. Son répertoire était limité : Corneille, Racine, Molière. Mais elle montait aussi, à l'occasion, des pièces écrites en français par des auteurs russes, sur des sujets de tout repos. Les Blondeau furent ainsi sollicités pour relire une pièce intitulée *Aigles*. Elle racontait l'accueil, par le maquis du Vercors, d'un aviateur soviétique abattu par la chasse allemande et pris en charge par un réseau de résistants. Il n'y avait pas une faute. Ce genre de programmation était peut-être aussi le prix à payer pour pouvoir jouer *Tartuffe* !

Le petit théâtre fonctionna sans interruption pendant plus de trente ans. Il survécut à la dictature et au blocus. Il faisait -10 dans le palais, les acteurs souffraient de la faim et du froid, les morts s'accumulaient, et ils jouaient *Cinna ou la clémence d'Auguste*, ou bien *Les Précieuses ridicules*. À la même époque et dans les mêmes conditions, Chostakovitch composait la symphonie *Leningrad*. On la donna finalement dans la grande salle de la philharmonie le 9 août 1942. Légende ou vérité historique ? Lorsque, le 5 mars de la même année, l'œuvre fut radiodiffusée en direct à partir de Kouïbychev, on dit qu'un officier allemand qui l'écoutait dans son abri se serait exclamé :

« On ne les aura jamais ! »

Les Blondeau assistèrent à deux représentations du petit théâtre de Steinberg, dont une d'*Andromaque*, et ils se promettaient bien d'y conduire Jean Vilar.

En 2009, Saint-Pétersbourg est devenue une destination à la mode. Les initiés l'appellent « Saint-Pet' », comme ils disent ailleurs « Saint-Trop' ». Cadres dynamiques, affairistes ordinaires ou visiteurs occasionnels, ils se croient autorisés à tutoyer une grande dame parce que sa déchéance l'a rabaissée à leur niveau. Mais, au témoignage d'un ami qui avait visité le palais Youssoupov, le guide qui les pilotait ne disait pas un mot de cette extraordinaire aventure théâtrale. Raspoutine était beaucoup plus *glamour* !

Un autre représentant de cette classe en voie de disparition était le professeur Pitkovski. Il enseignait la littérature française et c'était un homme qui avait fière allure, élégant, cultivé, très à l'aise dans les mondanités. En russe, on dit : *koultourny.* Ce mot intraduisible contenait une richesse de connotations qu'on ne pouvait comparer qu'à celle du « courtisan » italien de la Renaissance ou de l'« honnête homme » classique. Il couvrait à la fois le champ de la culture à la française et celui de la maîtrise des bonnes manières, de l'art d'être agréable en société, une forme de perfection sociale qui poussait le raffinement jusqu'à se faire oublier. Pitkovski était un artiste du baisemain. Il le pratiquait avec une vivacité et un naturel qui désarmaient les moins mondaines et flattaient les plus modestes. Il invitait quelquefois les Blondeau à dîner.

Il avait, en tant que travailleur intellectuel, le privilège de disposer d'un logement indépendant mais exigu. Pour gagner la salle à manger il fallait traverser la salle de bain, de toute évidence un ancien vestibule, qui était presque entièrement occupée par une baignoire surmontée de son chauffe-eau. L'espace vacant entre le mur et la baignoire était si étroit qu'il fallait progresser de biais, dos au mur. Très digne, le maître des lieux guidait ses hôtes. Il vivait là-dedans avec sa mère, qui professait un antibolchevisme violent, ayant dû accoucher le jour de la Révolution. Son fils écoutait ses diatribes avec un sourire indulgent et distancé. Après le repas, on se faisait une petite belote. C'était donc un ami.

Voire… Il y avait dans la vie de Pitkovsky un épisode, et il courait sur ses mœurs de vilains soupçons, qui avaient fait dire à une autre de leurs « amies » :

« Vous allez chez Pitkovski ? Ne parlez pas trop… »

C'est une règle d'or dans ce genre de pays : il ne faut pas ébruiter ses relations. L'événement qui faisait tache dans son CV, c'est qu'il avait travaillé comme traducteur à l'ambassade de France tout de suite après la guerre. Ce ne sont évidemment pas les diplomates français qui l'avaient choisi. Ils s'étaient adressés à un service spécialisé du ministère des Affaires étrangères, qui fournissait à la demande femmes de ménage, mécanos, traducteurs, aide-bibliothécaires, etc., tous parfaitement compétents et tous appointés par le « Comité gouvernemental de sécurité », plus connu sous le sobriquet de KGB. On prétendait à l'ambassade que Pitkovski rencontrait toujours les Français de passage par hasard sur le pont Anitchkov.

Mais Pitkovski était-il si coupable ? S'il était avéré qu'il avait des préférences homosexuelles, il était sous la menace d'un internement psychiatrique. La surveillance qu'il exerçait, peut-être, sur les Blondeau n'était alors que le prix de sa liberté. Elle n'était pas incompatible avec une sympathie sincère, ni avec le sens de ses intérêts : ils lui rapportèrent de France une machine à écrire. Pitkovski leur posait un peu le même problème que Natacha : à leur retour d'exil, elle et sa famille avaient été arrêtées sur le quai de la gare, à la descente du train, et reléguées dans un village misérable de l'Oural, où l'on n'avait pas manqué de les présenter comme des traîtres à la Révolution, dont le repentir était sujet à caution. Au bout de quelques années, ils avaient obtenu le droit de s'installer à Leningrad. Ils parlaient bien français. Avait-on posé une condition à leur retour ?

À noter que le professeur Pitkovski habitait, en face de la cathédrale Saint-Isaac, le même immeuble que Diderot lors de sa visite à Catherine II. Diderot, l'auteur d'une comédie intitulée *Est-il bon, est-il méchant ?...*

Cette question, peu de personnes de leur connaissance pouvaient y échapper.

VI

Ce jour-là, quand François rentra à la maison, Lucile l'attendait avec une nouvelle :

« Thibaudeau a téléphoné. Il arrive la semaine prochaine, pour deux jours.

— Il est à l'Astoria ?

— Non, à l'hôtel Europe. Il nous attend à 10 heures, mardi prochain, pour qu'on aille ensemble discuter avec le recteur. Il y a des problèmes avec les étudiants. »

On était au début du mois de mars. Il faisait encore froid, mais il arrivait par moments de la Baltique des bouffées de quasi-tiédeur qui étaient comme le prélude du printemps. Déjà, les pêcheurs s'avançaient moins au large sur le banc de glace qui prolongeait la plage de la forteresse Pierre-et-Paul. Dans les rues, des commandos de femmes s'activaient à nettoyer les rails des tramways avec de longues barres de fer qu'elles piquaient dans le ciment ramolli du verglas. Accolés comme des terrils à la face interne des parapets de granit, d'innombrables éboulis d'un mâchefer grisâtre ponctuaient la ligne pure des canaux : la neige, ramassée en continu par une armada de pelleteuses mécaniques, puis déversée là par camions, commençait doucement à fondre.

Chaque ville a son climat, qui est une partie de son identité, et qui ne se confond pas nécessairement avec la canicule ensoleillée des brochures touristiques. Celui de Leningrad était un climat de boue et de neige fondue, d'eaux dégringolant des toits en cataracte par des tuyaux de descente gros comme des tiges de botte. Par là-dessus, une brume qui n'avait rien à voir avec la purée de pois immobile dans laquelle Londres s'engloutissait. Les brouillards de Leningrad étaient remués de soudains tourbillons aux coins des rues, sous l'arche de l'état-major général qui conduisait à la place du Palais, sur les ponts balayés de rafales. C'est dans cette demi-obscurité, cet entre chien et loup interminable des journées d'hiver que les couleurs crues des grands palais baroques de la ville prenaient un sens. Les Blondeau avaient entendu des amis en critiquer ce qu'ils appelaient le bariolage. C'est qu'ils avaient eu le tort de visiter la ville sous le plein soleil de l'été, et que l'été n'est pas une saison russe, pas plus que le crachin n'est chez lui à Tahiti – même si, peut-être, cela arrive quelquefois. Les palais de « Peter », il faut les contempler dans la pénombre crépusculaire des jours sombres ou à la clarté laiteuse des nuits blanches. Alors leur éclat s'adoucit, une douceur pastellée se répand sur la ville, couleur de rêve, couleur d'une cité comme on en décrit dans les contes, comme les miniaturistes de Palekh en représentent sur leurs boîtes de papier mâché, ou les fresquistes des anciens temps derrière les arrogants boyards, aux voûtes des vieilles demeures de l'aristocratie moscovite. Henri Michaux, qui peut-être n'y avait jamais mis les pieds, avait trouvé les mots pour en dire la nature miraculeuse :

« Je vous construirai une ville avec des loques, moi !

« … Avec de la fumée, avec de la dilution de brouillard

« Et du son de peau de tambour,

« Je vous assoirai des forteresses écrasantes et superbes,

« Des forteresses faites exclusivement de remous et de secousses… »

La brutale prospérité du « Saint-Pet' », ressuscité par la vertu douteuse du capitalisme triomphant, n'a rien arrangé. Ripolinées de frais, fardées comme les élégantes des années de la « stagnation », les demeures princières ont perdu la patine de leur grand âge, le tremblé de leur silhouette dans le miroir des eaux, elles « posent » pour les cartes postales. Les nouveaux riches ont fait de cette capitale une courtisane. Pour l'aimer dans sa vérité, comme l'ont aimée Gogol ou Pouchkine, il faudrait lui rendre visite dans la pâleur de ses fins de nuit ou dans le déshabillé de ses arrière-saisons. Ou rôder au hasard, loin des circuits obligés, dans les îles, dans le quartier de Petrograd, du côté de la Rivière noire, marcher lentement dans le cimetière abandonné qui s'étend derrière la Laure Nievski, dans la boucle d'un canal.

En 1967, l'hôtel Europe n'avait pas encore été rénové. Les Blondeau, n'ayant jamais eu à y passer la nuit, n'en connaissaient que le hall d'accueil, avec son salon lambrissé, où ils pouvaient se reposer dans des fauteuils profonds sans que quiconque y trouve à redire. Et puis le restaurant, qui avait encore fière allure sous sa verrière et où l'on mangeait bien, le soir, au son d'un orchestre qui jouait des airs sagement jazzy. Une chanteuse s'y produisait, qui avait appris son métier. C'est là que les Trocmé les avaient amenés, le jour de leur arrivée, pour y prendre leur premier repas.

Ils arrivèrent un peu en avance pour acheter du caviar à la boutique de souvenirs, la *Beriozca* interchangeable de tous les hôtels de l'Intourist. Quand les courses dans les *gastronomes* avaient été par trop frustrantes, quand, au cœur de l'hiver, même le marché kolkhozien de la rue Gorki était quasi désert, ils ouvraient en entrée une petite boîte de caviar. Payée en francs convertibles ou en dollars, elle ne coûtait pas beaucoup plus cher qu'une boîte de sardines en France, et elle donnait l'occasion d'un plaisir délicat, avant le pot-au-feu.

Emplettes faites, ils trouvèrent Thibaudeau, qui les attendait dans le salon, et prirent immédiatement le trolley n° 1, qui les conduisit place Pouchkine. Ils étaient à deux minutes du bâtiment administratif de l'université, où se trouvait le Bureau des étrangers, mais aussi, ce jour-là, une espèce d'appariteur qui les guida jusqu'à la pièce du premier étage où les attendaient les représentants du recteur : un gros homme amputé d'un bras et deux assesseurs. La pièce était nue à l'exclusion d'une grande table de conférence ovale, qui pouvait bien accueillir une vingtaine de personnes. Les deux délégations prirent position face à face, un homme s'installa à l'un des hauts bouts : l'interprète. Thibaudeau connaissait assez le russe pour se débrouiller dans un cocktail, mais pas pour conduire une négociation. Dans un angle de la pièce, sur une chaise, on ne remarquait pas tout de suite un individu gris fumée, que personne ne leur présenta, qui ne dit pas un mot de toute la réunion, mais qui griffonna continûment sur un carnet.

On commença par échanger des propos diplomatiques : satisfaction de faire connaissance, gratitude réciproque et appuyée pour les services rendus, conviction partagée d'œuvrer pour le bien des relations entre les deux pays. Puis on passa à l'ordre du jour. Invité à présenter ses observations, le conseiller expliqua posément que les étudiants français avaient des problèmes avec les douches et avec les punaises. Ils avaient trop des secondes, et pas assez des premières. Le vice-recteur admit que la situation n'était pas satisfaisante, mais fit observer que les Français étaient logés dans le meilleur foyer de la ville et que leurs camarades russes n'étaient pas mieux lotis. Il ne fut pas question des fonctions véritables qu'exerçaient auprès d'eux les camarades de chambrée qu'on leur avait adjoints. Certains d'entre eux étaient pourtant une variété de parasites au moins aussi irritants que les punaises…

Ce n'était pas tout. Les étudiants se voyaient systématiquement refuser un visa pour sortir de la ville. Or leur bourse était versée en liquide à l'ambassade, et Bernard Lobjeu, l'attaché culturel, était obligé de faire le voyage tous les mois pour la leur remettre.

Le conseiller ajouta enfin qu'ils étaient là non seulement pour perfectionner leur connaissance de la langue, mais aussi pour se familiariser avec les hauts lieux de la culture russe. Une excursion en groupe à Novgorod était certes un service apprécié, mais ne serait-il pas possible de permettre aussi des visites individuelles ? Et d'ajouter Pskov et Vladimir à la liste ? On lui répondit que sa requête était légitime et on promit de la satisfaire. La promesse fut d'ailleurs tenue.

Puis les négociateurs se séparèrent avec beaucoup de dignité. Les Blondeau s'étaient contentés de brefs apartés à mi-voix, qui avaient échappé à l'interprète, et l'homme au carnet avait disparu, sans que personne l'ait vu sortir.

Quand ils sortirent du bâtiment, il était un peu plus de midi. Ils décidèrent de déjeuner au restaurant *Le Caucase*. On y mangeait bien, mais surtout on y était servi rapidement et avec le sourire.

Puis le conseiller proposa une petite promenade digestive sur les quais de la Moïka, en direction du Jardin d'été.

Les choses sérieuses commençaient et les Blondeau n'étaient pas à l'aise. Ils ne s'attendaient pas à ce que Thibaudeau leur facilite la tâche. C'est pourtant ce qu'il fit en leur demandant :

« Vous connaissez Estelle Dumazedière ?

— Oui, c'est une des étudiantes.

— Vous la connaissez bien ?

— Pas plus que ça. On se croise dans les couloirs de la fac et on se dit bonjour, rien de plus. »

Où voulait-il en venir ? À ceci :

« La dernière fois que Lobjeu est venu apporter l'argent de leurs bourses, elle était dans tous ses états. Elle lui a raconté que quelques jours plus tôt elle avait été invitée à dîner par un de ses professeurs. Elle a eu la surprise de rencontrer chez lui un personnage en grand uniforme, un certain Lev quelque chose, qui s'est présenté comme un officier du KGB, passionné de culture française et heureux de faire sa connaissance. Ça ne vous dit rien ?

— Non, répondirent-ils en même temps, jamais entendu parler !

— Il lui a dit qu'il serait ravi d'en savoir davantage sur notre pays et qu'il avait pensé à elle pour cela. »

Thibaudeau expliquait que, naturellement, le Lev quelque chose avait déclaré qu'il ne demandait rien de bien compliqué et qu'il ne fallait pas qu'elle se sente contrainte en quoi que ce soit. Du reste, il s'agirait d'entretiens privés, sans rapport avec ses fonctions. La pauvre fille s'en était tirée comme elle avait pu, si bien que son interlocuteur lui avait brusquement demandé :

« Et les Blondeau ? Vous les connaissez bien ? Est-ce que vous croyez que nous pouvons leur faire confiance ? »

La jeune Estelle n'était pas innocente au point de ne pas sentir ce qu'impliquait de nouveau et d'inquiétant l'emploi de ce « nous ». Elle avait donc répondu qu'elle les connaissait mal et qu'elle n'avait aucune réponse à cette question. Puis elle avait mis tous ses espoirs dans l'arrivée prochaine de Lobjeu.

« Est-ce que, l'un ou l'autre, vous avez été approchés par quelqu'un ? Lev ou un autre ? L'officier de sécurité de l'ambassade m'a demandé de vous poser la question.

— Non… enfin… pas de cette façon… Mais il nous est quand même arrivé quelque chose d'un peu bizarre… Ce qui me frappe c'est que, à notre propos, votre KGBiste ne se pose pas exactement la même question que sur Estelle, et je crois savoir pourquoi. »

Thibaudeau s'était fait très attentif. Sans les presser, il attendait la suite. Alors, Lucile et François lui racontèrent tout : la commande de Platonov, la rencontre de Vassili, la boutique de Saint-Sulpice, le retour. Et la découverte de l'étrange filigrane sous les jupes de la Gamiani. Ils lui montrèrent l'épinglette de Platonov. Le conseiller s'arrêta pour l'examiner et recopia sans rien dire le code qui se trouvait au revers. Ils marchaient maintenant sur les quais du fleuve, en direction de l'Amirauté dont la flèche brillait au-dessus de l'Ermitage tout proche. À mesure qu'ils parlaient, ils avaient l'impression de se décharger d'un poids. Mais Thibaudeau ne disait rien.

« C'est tout ?

— Il nous a également invités à rencontrer à Pskov un de ses amis, un pope qui peint des icônes.

— C'est bon !

Comment ça, « c'est bon » ? Tant de placidité les ahurissait.

« Tout ce que vous venez de me dire, nous le savions. Mais c'est bien que vous en parliez les premiers, ça lève une suspicion.

— Vous nous soupçonniez ?!

— Nous soupçonnons tout le monde, par principe. La lectrice qui vous a précédés a failli épouser un officier de leurs services. Il s'est démasqué deux jours avant qu'ils ne quittent le pays pour se marier en France. Elle a pris l'avion toute seule. Maintenant, écoutez-moi bien ! »

Les conseils de Thibaudeau étaient des ordres. À eux de le comprendre. Ils devaient continuer leur collaboration avec Platonov, retourner s'il le fallait chez le petit vieux de Saint-Sulpice et rapporter l'ouvrage qu'il désirait. Surtout ne pas laisser deviner qu'ils avaient éventé le subterfuge.

« Dès qu'il vous aura passé la prochaine commande, débrouillez-vous pour me le faire savoir le plus vite possible. Il y a suffisamment d'allers et retours entre Leningrad et Moscou. Au besoin, faites le voyage. Vous n'en avez pas parlé chez vous, j'espère ?

— Jamais ! »

Et François Blondeau raconta la dame devant le placard aux compteurs.

« Bien ! Quand vous allez à Paris, vous descendez à l'hôtel du Palais-Royal ? »

Il savait ça aussi !

« La prochaine fois, vous resterez à Paris au moins deux nuits. Vous prendrez livraison de votre bouquin dans la matinée du premier jour. Il faut qu'à midi il soit dans votre chambre, sur le dessus de votre valise fermée mais pas verrouillée. Et puis, allez vous promener jusqu'au soir ! Des livres pareils, il vaut mieux que personne ne les voie !

— Mais qu'est-ce que vous voulez en faire ?

— Moins vous en saurez, mieux ça vaudra. J'ai confiance en vous, mais ce n'est pas forcément le cas de tout le monde. J'essaie de vous tirer du pétrin où vous vous êtes fourrés. Tenez-nous au courant de tout ce que vous ferez, même si ça vous paraît anodin. »

Ils étaient sur la place du Palais, face aux bâtiments en hémicycle de l'ancien état-major.

« Le bouquiniste, c'est bien par là ? Rendez-vous à 20 heures à l'hôtel Europe. J'ai retenu une table pour six. Les Trocmé seront là. On parlera d'autre chose. »

Les Blondeau savaient qu'à Moscou les diplomates se battaient pour se procurer des antiquités, des éditions rares ou des œuvres d'art qu'ils envoyaient par la valise diplomatique. Quand ils partaient en province, ils en profitaient pour faire leur marché. Mais à Leningrad, Blondeau passait toujours la veille, au cas où il pourrait mettre la main sur quelque chose d'intéressant avant que Thibaudeau ne s'en empare. Il est vrai que lui devrait sortir ça à visage découvert. Peut-être qu'avec l'épinglette de Platonov…

À 20 heures, ils retrouvèrent Thibaudeau et Marc-Olivier devant la « garde-robe », où la dame faisait aigrement remarquer à un client que le col de son manteau n'avait pas de bride. Sûrement un étranger.

Les Blondeau avaient appris très vite que le défaut de *viéchalka* était une faute impardonnable.

Katarina n'était pas là. Marc-Olivier leur apprit qu'elle se sentait fatiguée depuis quelques jours : une grossesse qui se présentait mal. À la polyclinique de l'université, la gynécologue avait décidé une semaine d'observation dans un hôpital.

Il leur en dit davantage quand ils se furent installés. Une fois de plus, ils constatèrent que la pratique du dîner dansant dans les grands restaurants rendait toute conversation presque impossible. Le bruit de l'orchestre couvrait tout. Plus d'une fois, les Blondeau avaient connu la frustration d'avoir en face d'eux des visiteurs de marque, artistes ou conférenciers, qui avaient des tas de choses à dire, quelques-unes aussi à apprendre, et avec lesquels il était presque impossible de communiquer.

Marc-Olivier connaissait bien le pays, mais il n'avait jamais fait l'expérience de son système de santé, et il n'en revenait pas de ce qu'il découvrait. Sa femme se trouvait au « Premier institut médical », pas très loin de chez les Blondeau. Les visites étaient interdites, les malades étaient très mal nourris. Chaque jour, les familles se rendaient à l'hôpital pour déposer à un guichet un filet de provisions. Sur une étiquette, ils écrivaient le nom de leur malade et celui du service dans lequel il se trouvait. On leur redonnait le filet de la veille. Au milieu du hall d'accueil, sur une grande table, des infirmières déposaient en vrac les lettres, souvent de simples feuilles de papier pliées en quatre et scellées à la diable, que les détenus (le mot s'imposait) destinaient à leurs proches.

Pour les voir, il n'y avait qu'un seul moyen. Quand on avait traversé le jardin au milieu duquel s'élevait l'institut, on découvrait, par petits paquets, des hommes, des femmes, les pieds dans la neige et le nez en l'air. Ils cherchaient du regard leur malade à une fenêtre, qui montrait brièvement son visage, leur faisait un petit signe, leur soufflait du bout des doigts un baiser ou plaquait sur la vitre une feuille de papier où il avait griffonné un mot : « Oranges ! » ou bien « Micha ? ». On lisait mal, à cause des doubles fenêtres et du givre quand il faisait vraiment froid. Et puis, il y avait un attroupement aussi derrière la fenêtre, il fallait s'écarter rapidement pour donner du temps aux autres.

« Au moins vous, à Moscou, vous avez la clinique pour étrangers ! »

Mais Marc-Olivier disait cela sans conviction. À tort ou à raison, dans ce pays qui faisait tout pour encourager les fantasmes les plus déraisonnables, il se disait que la clinique en question disposait de médicaments qui avaient des « effets indésirables ». En clair : ils faisaient de très bons sérums de vérité ! Les diplomates que leurs fonctions mettaient en possession d'informations confidentielles rentraient se faire soigner au pays.

Mais qu'appelait-on « confidentiel » ? François Blondeau raconta sa découverte de la « chaire militaire » Très vite, il avait entendu certains de ses étudiants s'excuser de ne pas être venus au cours précédent parce qu'ils étaient à « la chaire militaire ». Le mot faisait peur au nouveau lecteur, qui ne voulait pas donner l'impression de poser des questions indiscrètes. Mais les garçons lui en parlaient avec un tel naturel qu'il avait finalement osé :

« Mais qu'est-ce que c'est donc que cette chaire ?

— On nous y donne des cours de français militaire. »

Il ne pouvait pas en rester là. C'était Egorov qui parlait, un brave type, qui n'avait rien d'un provocateur.

« Mais à quoi ça vous sert ?

— C'est pour interroger les prisonniers ! »

Il y avait des filles dans le groupe. Elles scrutaient le visage du lecteur et elles donnaient l'impression de bien s'amuser.

« Bon, eh bien j'espère que vous me reconnaîtrez ! Mais où est-ce que vous trouvez ce vocabulaire ? Vous avez un manuel ?

— Oui, nous avons un ouvrage français ! »

Egorov se fit plus précis et, à mesure qu'il parlait Blondeau, éprouvait une stupéfaction qui se doublait d'une grande envie de rigoler. Le manuel qu'on lui décrivait, il le connaissait bien. On l'appelait le TTA à l'époque où il faisait les EOR à l'École d'application des transmissions de Montargis. Il était classifié « diffusion restreinte » et il était interdit de le sortir de la caserne. Et c'est lui qui servait d'outil pédagogique à l'Armée rouge pour le cas où elle aurait à « interroger les prisonniers » ! Alors, le « confidentiel »…

Le repas se termina dans la bonne humeur. Thibaudeau, en partant, ne fit pas la moindre allusion à la conversation de l'après-midi. Les Blondeau pensaient déjà à préparer leur voyage à Pskov.

VII

Dès le lendemain, quand il eut terminé ses cours de l'après-midi, Blondeau fit un saut à l'hôtel Astoria, où se trouvait le bureau des voyages de l'Intourist, pour consulter les horaires des trains à destination de Pskov. Il nota aussi le numéro de téléphone de l'hôtel où ils descendraient.

Une fois à la maison, il se remit en mémoire le vocabulaire dont il avait besoin et s'installa devant le téléphone. Une voix féminine lui confirma qu'il était bien à l'hôtel Octobre. Il réserva donc pour trois nuits.

Puis il commença la rédaction de la demande de visa qu'il déposerait au Bureau des étrangers, dans les mains d'un blondinet chafouin dont le but dans l'existence semblait être surtout de ne pas avoir d'ennuis. Blondeau avait reçu de lui un modèle, qu'il recopiait soigneusement à chaque voyage. On lui demandait de préciser :

- où ils désiraient aller,
- à quelles dates
- pour quoi faire,
- où ils résideraient,
- et par quel moyen ils comptaient s'y rendre.

Il déposerait en même temps leurs passeports. Il fallait compter quinze jours avant que le bureau central de l'OVIR ne donne sa réponse. Sans visa, l'Intourist refusait de lui vendre les billets.

Il n'oublia pas non plus de téléphoner à Platonov pour lui communiquer les dates de leur visite à Pskov, afin d'en informer le père Athanase. Où le trouveraient-ils ? L'amateur de livres rares leur répondit qu'il officiait dans la petite église de la Dormition de la Vierge, qui se trouvait un peu à l'écart de la ville, sur les bords de la Velikaïa. Une église très simple, une seule coupole, bleue, pensait-il sans en être certain.

Les guides touristiques étaient rares et peu diserts sur les monuments d'architecture religieuse. Ils les mentionnaient, certes, avec une sobriété marquée, très éloignée de la minutie avec laquelle ils décrivaient les lieux qu'avait consacrés par sa présence le saint patron de la Russie socialiste, Vladimir Ilitch le Grand, à la rigueur un de ses disciples. Mais sur ce point, la tradition fluctuait, et la liste de ces derniers avait souvent changé au hasard des disgrâces et des révisions doctrinales. Saint Trotski, saint Kamenev, saint Krouchtchev avaient disparu. Saint Kirov était encore vénéré, surtout à Leningrad. Le culte de saint Staline, officiellement aboli, se célébrait encore dans des chapelles clandestines, pour lesquelles il était une espèce d'imam caché, qui se manifesterait au dernier jour.

Plus encore que ces « vieux croyants », le Pouvoir pourchassait les incroyants, blasphémateurs et sacrilèges. Juste au moment où les Blondeau faisaient leurs débuts dans la patrie du socialisme réel, la police idéologique du régime en avait débusqué deux, dissimulés dans les bureaux de la revue *Novi Mir*. Ils s'appelaient Siniavski et Daniel, et profitant du dégel krouchtchévien, ils s'étaient permis d'écrire comme ils l'entendaient. À demi confiants pourtant dans la pérennité de cette semi-tolérance, ils avaient pris leurs précautions en exportant discrètement leurs manuscrits à l'étranger, d'où revenaient des copies imprimées qui avaient semé la panique chez les censeurs. Les Blondeau, qui étaient abonnés au *Monde* et qui pouvaient acheter *L'Humanité* en ville, avaient de l'affaire une connaissance assez confuse. Ce furent les étudiants de François qui lui en parlèrent, en lui demandant ce qu'il en pensait. Peu soucieux de compromettre sa carrière par des déclarations téméraires, il répondit prudemment qu'il ne les avait pas lus, mais qu'une chose était sûre, c'est que le battage fait autour de leur cas aurait pour effet de multiplier les ventes. Était-ce bien le but recherché ? Et eux, les avaient-ils lus ? Non, mais « on » leur en avait communiqué des extraits au cours d'une réunion d'information. L'un parlait de prendre Tchekhov par sa barbiche et de lui mettre le nez dans ses crachats de tuberculeux, l'autre montrait Lénine en train de pisser. Une jolie brunette résuma le sentiment général : sept ans de camp, c'était peu, ils en méritaient vingt.

Deux semaines s'étaient écoulées depuis que François Blondeau avait déposé sa demande de visa. Il était temps de revoir le blondinet pour récupérer le précieux document. Mais celui-ci se contenta de lui rendre son dossier. Le visa avait été refusé. On les invitait, son épouse et lui, à se rendre directement à l'OVIR pour reformuler leur demande. Qu'est-ce que cela voulait dire ? Pskov était une destination archi-classique. Peut-être trouvait-on que quatre jours, c'était trop ? Consulter Platonov ? Alerter Elaguine ? Ils décidèrent de voir d'abord de quoi il retournait et de répondre à la convocation.

Les bureaux de l'OVIR se trouvaient dans une avenue adjacente à la Nievski. Ils découvrirent un bâtiment banal à l'entrée duquel une plaque discrète indiquait que c'était bien là. Dans le vestibule, un fonctionnaire en civil leur demanda d'une voix fatiguée ce qu'ils voulaient. Il jeta un coup d'œil sur leurs papiers et leur désigna, en haut d'un petit escalier, une porte ouverte.

La pièce dans laquelle ils entrèrent était meublée comme une salle de classe, avec des pupitres à deux places et, pour le maître, une table basse sur une estrade. Mais le tableau était remplacé par le portrait habituel de Lénine en plein discours, la barbiche frémissante, le regard fulgurant, l'index comminatoire au bout de son bras tendu. Rien de bien effrayant, on le voyait partout. Dans la salle, quelques « élèves » écrivaient, dont beaucoup de gens de couleur, car il y avait une importante communauté cubaine à Leningrad et nombre d'Africains. Ils avaient remplacé les Chinois qui avaient été expulsés deux ans auparavant pour cause de Révolution culturelle.

Le maître cependant s'installait à son bureau au moment où ils faisaient leur entrée. La quarantaine triomphante, c'était en fait une maîtresse, superbe dans son tailleur strict, de coupe militaire, qui lui marquait fortement la taille. La jupe droite, ajustée à la perfection, lui moulait étroitement les cuisses, mais sans découvrir le genou, par une fausse pudeur qui promettait davantage encore que la plus généreuse des minijupes. Un fantasme baudelairien illustré par Félicien Rops. « Belle, ô mortels ! »… À damner un apparatchik !

Mais ses yeux, « ses larges yeux aux clartés éternelles », étaient d'un bleu de glacier qui, bien plus que l'amour, inspirait l'effroi. On n'aurait pas aimé se trouver en tête-à-tête avec cette Mae West dans un bureau de la milice, ni, peut-être, dans sa chambre à coucher !

Lucile, moins sensible que son mari au magnétisme érotique de cette muse de la police politique, lui tendit les papiers. Elle en reçut en retour une liasse de formulaires : il fallait remplir tout ça. Les Blondeau prirent place au premier rang, et commencèrent à renseigner des rubriques déjà mille fois rencontrées : nom, prénom, etc., adresse en URSS, motif du voyage, signez ici, triple exemplaire, joignez deux photos, avez-vous des liens de parenté avec des citoyens soviétiques ?

« Et pourquoi pas mon tour de taille? » murmura Lucile.

Convaincus, pourtant, que la seule façon de gagner du temps était de le perdre sans récriminer à répondre à toutes ces inepties, ils faisaient silencieusement leur devoir sur table en attendant que la maîtresse aux yeux de banquise vienne ramasser les copies.

Un officier qu'ils n'avaient pas vu entrer se tenait maintenant debout auprès de la surveillante et lui montrait un dossier. François regardait distraitement. Quand l'inconnu se redressa pour regagner l'arrière-boutique d'où on ne l'avait pas vu sortir, son visage apparut en pleine lumière, deux secondes, avant qu'il ne tourne les talons. Mais ces deux secondes-là, Blondeau ne les oublierait jamais : il avait reconnu

Léon Détrée, Léon le Niais de la pension Kuhlman, l'amoureux de la nymphe aux yeux verts ! Et si c'était elle, la walkyrie du bureau ? Non : trop vieille !

Sur les trottoirs de la Nievski, comme d'habitude, coulait à plein flot une foule compacte. On avait l'impression que toute la ville, chaque matin et jusqu'à la nuit tombée, se déversait dans cette artère. Le reste de la cité, comparativement, était un désert. Se tailler un chemin dans cette cohue n'était pas facile, et François ne dit rien de sa découverte à Lucile. Doutant d'ailleurs de la réalité de cette surprenante réapparition, il passait et repassait dans sa mémoire le cliché qui s'y était gravé – le visage allongé, les yeux clairs, les cheveux d'un blond presque jaune de l'homme qu'il avait aperçu à l'OVIR – et aucun doute ne venait affaiblir sa première impression : c'était bien le Léon de Montgeron, le visiteur du *Pouchkine Club.*

Quand ils eurent regagné leur domicile, François mit un vinyle sur le tourne-disque et, sous le couvert sonore d'une *Danse du sabre* endiablée, mit son épouse au courant de ce qu'il avait découvert.

C'était la deuxième fois que Londres se rappelait à son souvenir. Il y avait eu d'abord la rencontre avec Vassili, dont le caractère fortuit devenait de plus en plus douteux, et maintenant Léon le Niais – un Français ! – qu'il retrouvait en uniforme à l'Office central des visas de Leningrad. Sans pouvoir démêler l'écheveau de ces relations croisées, ils sentaient qu'il y avait dans toutes ces coïncidences une cohérence secrète et ils cherchaient ensemble, sans rien trouver, comment assembler les pièces d'un puzzle qui avaient pour noms Vassili, Semion Vassilievitch, Léon Détrée, Platonov. Faudrait-il bientôt y ajouter le père Athanase ? Cela supposait d'abord qu'ils reçoivent leur visa.

La réponse vint quelques jours plus tard, quand Lucile retrouva Victor Elaguine et ses collègues pour parler de Supervielle. Avant d'entrer dans les « caves », il eut le temps de lui glisser à l'oreille :

« Votre visa vous attend au Bureau des étrangers.

— Qu'est-ce qui leur a pris ? »

Un haussement d'épaule fut la réponse, puis :

« Allez-y avant qu'ils ne changent d'avis ! »

Ils arrivèrent à Pskov en fin d'après-midi, après deux ou trois heures d'un voyage sans histoire. Quand leur taxi les déposa devant l'hôtel Octobre, une grande bâtisse prétentieuse, il faisait presque nuit. Ils ramassèrent dans le hall quelques brochures touristiques et restèrent tranquillement au chaud.

Ils avaient déjà passé dix-huit mois dans ce pays et, ne manquant ni de temps ni d'argent, ils y avaient beaucoup voyagé. Ils avaient visité, outre Moscou et Leningrad, et pour s'en tenir à la Russie, les vieilles villes de Kiev, Novgorod, Vladimir-Souzdal et le monastère de La Trinité Saint-Serge à Zagorsk. Ils avaient donc une idée assez précise de ce qui les attendait à Pskov. Mais il faut bien dire qu'ils étaient complètement submergés par la complexité de la culture russe et qu'ils mélangeaient allègrement les styles, les époques, les symbolismes. Entre les Dormitions, les Intercessions, les Assomptions et les Transfigurations, saint Georges, saint Blaise, saint Macaire l'Égyptien ou sainte Barbe, ils erraient dans un labyrinthe architectural et théologique aussi indéchiffrable que la symbolique des icônes ou la composition des iconostases. À quel étage exactement se trouvaient les prophètes ? Où, les apôtres et les saints martyrs ? Dans la déisis ? Qui donc passait par les trois portes ?

À leur décharge, il faut dire aussi que, par la force des choses, ils voyageaient seuls et sans guide. Ceux-ci étaient réservés aux groupes, et la première chose qu'on leur demandait quand ils prenaient leur billet pour visiter un monument c'était : « Est-ce que vous faites partie d'un groupe ? » À Vladimir, on leur avait refusé l'accès aux fresques de Roublev. Il fallait d'abord qu'ils se fassent accepter par un « groupe ». Leur première tentative s'étant soldée par un refus brutal, ils s'étaient placés en embuscade à l'entrée de la cathédrale et ils avaient littéralement forcé le passage en écartant le guide qui voulait leur fermer la porte au nez. À l'Ermitage, en revanche, ils avaient été très bien accueillis par des médecins français qui visitaient les trésors de l'art scythe.

Mais si leurs voyages ne leur apportaient rien qui pût être considéré comme une connaissance objective de la Russie orthodoxe, ils jouissaient sans limites de cette immersion dans un monde de formes et de couleurs violemment exotique. Déambulant tout seuls dans des nefs désertes, des chapelles désaffectées, des porches, des voûtes de croisillons, monde de ténèbres qu'éclairait parfois le visage à demi effacé d'un patriarche inconnu, ils se laissaient prendre à une communion purement sensible avec ce monde étrange et qui leur en donnait une connaissance tout affective et personnelle. Et s'ils rentraient le soir fatigués et parfois exaspérés, ils se félicitaient aussi d'avoir pénétré encore un peu plus loin dans le monde fascinant où se mêlaient les survivances tenaces de la vieille Russie et les innovations, pas toutes méprisables, du régime communiste. Et ils finissaient par éprouver le sentiment, naïf peut-être mais agréable, d'être, en fin de compte, des voyageurs favorisés quand ils voyaient débarquer un car de touristes occidentaux qui allaient, sans fatigue et sans soucis, se faire « cultiver » par les guides parfaitement compétents de l'Intourist.

Certes, au bout du compte, les Blondeau en sauraient peut-être moins qu'eux. Mais le savoir n'est qu'un substitut désincarné du réel. Il ne vaut pas la trace que laisse, comme un souvenir de bonheur, la conversation silencieuse que l'homme, à certains moments privilégiés de recueillement et de solitude, partage avec la nature ou avec l'art, et qui ne dépose, sur les étagères de la mémoire, ni concepts ni chronologies. Les visites guidées étaient l'interdiction de ce privilège.

Le lendemain matin, après un petit déjeuner substantiel, ils se présentèrent au bureau de tourisme de l'hôtel pour organiser leur séjour. Ils y furent accueillis par une jeune fille souriante, à qui ils demandèrent d'abord si elle connaissait une église de la Dormition, sur les bords de la rivière, et où officiait un certain père Athanase.

« C'est une église qui travaille ?

— Oui ! »

Ils connaissaient la terminologie officielle : une église qui « travaillait », cela voulait dire qu'elle était ouverte au culte. Il y en avait très peu, cela facilitait les recherches.

« Écoutez, je ne sais pas comment elle s'appelle, parce que personne n'y va jamais, mais la seule que je connaisse se trouve sur les bords de la Pskova. Vous traversez le pont au bout de l'avenue et vous l'apercevrez sur votre gauche.

— Ça fait loin ?

— Non, c'est à côté ! »

Mais les Blondeau se méfiaient des indications des Russes quand ils évaluaient des distances. « À côté », cela pouvait bien faire cinq cents mètres. Ils avaient aussi autre chose à lui demander. Pitkovski, à qui ils avaient parlé de leur voyage, avait évoqué une église « pas très loin de l'hôtel », où on venait de découvrir des fresques qui étaient peut-être l'œuvre de Théophane le Grec[2], le maître d'Andreï Roublev. On croyait jusqu'à présent qu'il n'avait jamais travaillé à Pskov, mais on en était désormais moins sûr. Les peintures étaient en cours d'expertise. Mais cette église-là ne « travaillait » pas et il fallait demander les clés à l'hôtel. Et Pitkovski avait ajouté :

« N'oubliez pas d'emporter une lampe électrique ! »

La jeune fille était au courant, mais les clés n'étaient pas à l'hôtel. Elle allait se renseigner.

Les visiteurs prirent donc la direction indiquée, à la recherche de l'artiste ami de Platonov. Dès qu'ils furent sur le pont, ils aperçurent le cube blanc de l'église et sa coupole qui s'arrondissait au-dessus d'un bouquet d'arbres.

Pskov avait été autrefois un centre politique important, mais dans l'ombre de Novgorod. On le disait « frère cadet de Sa Seigneurie Novgorod le Grand » Cette sujétion se ressentait dans l'architecture des deux villes. Les édifices de Novgorod étaient somptueux et ostentatoires. Les marchands et les princes qui les

---

2. Pour des raisons qui tiennent à l'intrigue, l'auteur a situé à Pskov un événement qu'il a vécu à Novgorod.

avaient édifiés y exhibaient leur puissance. Les églises de Pskov, en comparaison, étaient modestes. Quelques-unes portaient des noms qui témoignaient de cette discrétion et suscitaient la sympathie : « Saint-Nicolas-du-Marais-séché » ou « La Résurrection-du-pâturage ». L'église du père Athanase était probablement leur sœur en humilité.

Le chemin était un bourbier. Il leur aurait fallu des bottes et ils avançaient lentement. Ils mirent donc pas loin d'une demi-heure avant de découvrir l'édifice dans son entier. Bien qu'on fût en semaine, il y avait du monde, des vieilles femmes principalement, grosses bottes de feutre clair, lourdes jupes sur les talons, vestes matelassées et, noué sous le cou, le gros fichu bariolé de fleurs multicolores de la tradition paysanne. Elles les avaient vus venir de loin et, à leurs vêtements, les avaient tout de suite identifiés comme des étrangers. Tous les regards s'étaient tournés vers eux, interrogateurs, curieux, nullement méfiants.

Les Blondeau saluèrent et se présentèrent : ils étaient des professeurs français qui travaillaient à Leningrad et ils désiraient visiter leur église. Est-ce que c'était possible ? La femme la plus proche offrit immédiatement ses services, en leur disant :

« Vous, vous savez que vous avez une âme ! »

Son église était d'une pauvreté et d'une nudité pathétiques. Théophane le Grec n'était certainement pas passé par là. Les murs, badigeonnés de blanc comme à l'extérieur, ne portaient que quelques icônes accrochées à un clou, comme le calendrier des postes chez les vieilles gens des villages de France. L'iconostase ressemblait à une palissade. Pas de chaises, comme dans toutes les églises russes, où les fidèles restaient debout pendant toute la durée de l'office. Mais au centre ronflait un gros poêle en fonte, d'où s'élevait un tuyau interminable qui décrivait une orbite complète dans le ciel du bâtiment avant de disparaître par un trou du plafond. Des filins métalliques le soutenaient, qui s'accrochaient à la voûte. Pas un pope à l'horizon. Se pouvait-il que ce fût là qu'ils trouveraient le chef-d'œuvre promis par Platonov ? François Blondeau se lança :

« Le père Athanase n'est pas ici ?

— Vous le connaissez ?

— C'est un ami qui nous envoie.

— Mais il est parti depuis un an !

— Et où est-il ?

— À Petchori ! »

Petchori était une ville à cinquante kilomètres de Pskov, où se trouvait un monastère fameux, autant par sa vaillance dans les sièges qu'il avait dû soutenir contre les chevaliers Teutoniques ou le grand duché de Livonie que par la qualité de ses chœurs. Les Blondeau ne l'avaient pas inclus dans leur programme, mais si le père Athanase y était…

Justement son successeur arrivait. En leur qualité de personnes conscientes de l'existence, au fond d'elles-mêmes, d'une âme, il leur était difficile de se défiler. Ils restèrent donc stoïquement à l'office. Stoïques, mais aussi curieux, et honorés de l'invitation qui leur était faite. Mais ils s'étonnaient. Déjà quand il était gamin et que sa mère l'obligeait à aller à la messe, François ne comprenait pas pourquoi, à l'offertoire, seule occasion que la liturgie donnait au curé de montrer quelque chose aux fidèles, l'enfant de chœur agitait sa sonnette et obligeait tout le monde à baisser les yeux. Ici, c'était bien pire, c'est le curé qu'on ne voyait pas. Tout se passait derrière l'iconostase, et l'assemblée priait et chantait faux en autogestion, multipliant les signes de croix avec un air de ravissement qui était peut-être aussi une grimace de fatigue. Mais les chants et les prières étaient scandés, à de brefs intervalles, par des plongeons soudains du menton sur la poitrine, qui redressaient la pointe des fichus vers la voûte, en direction du tuyau de poêle.

On trouvait, dans les marchés, des petits jouets en bois que fabriquaient les paysans pendant les soirées d'hiver. L'un d'eux se présentait comme une petite raquette de ping-pong, percée d'un trou central. Tout autour, l'artiste avait disposé une demi-douzaine de poulettes dont le cou était articulé. Un fil partait de chaque jabot, se glissait dans l'orifice, et se nouait aux autres en une espèce de faisceau lesté par une grosse bille. Il suffisait de faire tourner délicatement la bille par un mouvement du poignet pour que toute la volaille se mette à picorer avec ardeur. Les fidèles de Pskov agissaient un peu de la même manière, piquant énergiquement du nez avant de le relever plus doucement, comme pour avaler une gorgée d'extase. De temps en temps, quelqu'un mettait du bois dans le poêle. Au bout d'une heure, ils priaient et chantaient toujours, mais les Français n'en pouvaient plus, ils avaient mal aux jambes. Ils saluèrent discrètement leurs hôtes, qui ne s'en aperçurent même pas, et regagnèrent l'hôtel Octobre, laissant la petite église « travailler » toute seule.

VIII

Il était trop tard pour aller à Petchori. Ils déjeunèrent à l'hôtel et retournèrent aussitôt au comptoir où se trouvait l'employée de l'Intourist. Ce n'était plus la même. La nouvelle était plus âgée, moins avenante, mais sérieuse et bien informée. Sa collègue lui avait laissé le nom et l'adresse de la personne qui détenait les clés de l'église de Pitkovski. Les Blondeau se renseignèrent aussi sur Petchori. Comment y allait-on ? Il n'y avait que le taxi. Pouvait-elle en commander un pour le lendemain 10 heures ? Certainement, à quel nom ? Pour toute la journée ? Pas de problème ! On se serait cru dans un pays normal.

Tous les pays ont un drapeau et un hymne national. Certains ont une odeur nationale. En Russie, c'est le chou. Dès qu'ils franchirent la porte de l'immeuble où se trouvait la personne à qui demander la clé, elle les saisit à la gorge. Chou en soupe, et c'est le *chtchi,* feuilles de chou farcies, et ce sont les *goloubtsi*, chou en saumure… Il est omniprésent. Il vous saute au nez, aussi bien dans les magasins, où son aigreur se mêle au piquant acide des concombres marinant dans leurs cuvettes en tôle émaillée, que dans les cages d'escaliers, comme si l'odeur de chou était l'émanation même de ces murs salpêtrés, de ces marches râpeuses dont on s'étonnait qu'elles vous conduisent malgré tout à des appartements vivables. La toute première image que les Blondeau avaient eue de Moscou, en quittant l'aéroport, c'était un convoi de camions chargés de choux qui fonçaient en cahotant sur la route cabossée, comme s'il y avait eu quelque part un front qu'il fallait approvisionner en urgence. Sur chaque tas dodelinait un baluchon grisâtre, qui était une paysanne emmitouflée.

La femme qui leur ouvrit sa porte dans cette HLM n'était pas une paysanne mais la version locale de la ménagère de plus de cinquante ans. Elle écouta à peine leurs explications, ayant tout de suite compris de quoi il retournait, et ils se retrouvèrent rapidement munis d'une espèce de passe-partout sur le palier, puis au pied de l'immeuble, puis devant la porte de l'église, qui s'ouvrit docilement.

L'intérieur offrait un spectacle consternant. La nef avait été évidemment saccagée, les plâtras jonchaient le sol, l'iconostase n'avait pas été seulement abattue, on l'avait dépecée, et les restes de panneaux avaient été jetés en vrac contre un mur. La porte refermée, l'obscurité était presque totale, et le faisceau de leur lampe fouillait à tâtons dans ce désordre. Comment pouvait-on espérer trouver quelque chose là-dedans ? À plus forte raison un chef-d'œuvre ignoré ! Au fond de la nef se dessina la silhouette inattendue d'une échelle. Elle s'appuyait sur une plate-forme qui épousait, à mi-hauteur, la courbe de l'abside.

« On va voir ? »

L'échelle était solide. Ils prirent pied sur le palier. En son milieu, une cloison, de bois ou de maçonnerie légère, dessinait une courbe parallèle à celle du mur extérieur, ménageant un couloir étroit qu'on aurait appelé un déambulatoire si on s'était trouvé dans une église romane. Ils s'y engagèrent prudemment, tâtant le sol de leur lumière, scrutant les deux faces du corridor. Et d'un seul coup, ce fut là : flottant comme un hologramme dans le halo circulaire de la lampe, une tête venait d'apparaître : plutôt qu'une tête, un long châle blanc, la chevelure confondue avec la barbe pointue qui, dans le prolongement de la moustache, effaçait complètement la bouche et partiellement la poitrine.

Un simple trait vertical indiquait la présence du nez, de même qu'il fallait deviner les yeux dans ces deux fentes obliques, très inclinées – accent aigu à gauche, accent grave à droite –, qui le surmontaient. La face ocrée était minuscule au milieu de cette pilosité neigeuse qui était un masque autant qu'une physionomie. Et la figure les regardait de ses yeux clos avec l'autorité d'un spectre. Balayant lentement la paroi, la lumière dégagea avec précaution trois autres figures semblables, un peu plus petites, et dont l'usure inégalement sensible du temps – plus de quatre siècles – faisait comme des avatars de la figure centrale, saisie à des moments différents de son existence.

Les Blondeau n'avaient jamais vu ça. Toutes les fresques, toutes les icônes qu'ils avaient rencontrées montraient des êtres humains que le génie de l'artiste avait spiritualisés, en stylisant les formes et les couleurs, en supprimant les traits distinctifs de leur individualité, pour en faire des créatures intemporelles. Ainsi sublimées, ces figures devenaient naturellement le support d'une symbolique qui donnait presque raison à la vieille dévote du matin : ils avaient peut-être une âme, après tout.

Mais ici, c'était différent, et le mouvement de la création s'opérait en sens inverse. Le modèle initial, c'était la foi même du peintre, sa ferveur mystique, que son pinceau amenait doucement à l'humanité, par petites touches, légères ici, là vigoureuses, lui donnant les traits des nobles prophètes qui peuplaient les iconostases. Mais, soit volonté délibérée de l'artiste, soit résistance invincible, et pour tout dire ontologique, du modèle, le processus s'arrêtait à mi-course, et la figure qui respirait faiblement dans la lumière mouvante de la lampe restait à demi engagée dans son immatérialité, n'acceptant de manifester que sa présence, sans révéler tout à fait son apparence. Quelques années plus tard, les Blondeau éprouveraient le même sentiment devant les représentations de Wandjina, sur les bords de la rivière Chamberlain, dans l'ouest australien. Mais là-bas, ils seraient touristes, pris dans un groupe, sous le plein soleil des Kimberleys. À Pskov, dans la solitude et l'obscurité de cette église abandonnée, au-dessus de la décharge publique qui s'étendait sous la plate-forme, ils avaient l'impression d'être des archéologues débouchant d'un boyau chaotique, dans un sanctuaire secret qu'habitaient de toute éternité des êtres chamaniques dont ils ne sauraient jamais rien.

Ils rapportèrent la clé et retournèrent à l'hôtel Octobre. À la question de la jeune femme qui les avait renseignés, ils répondirent que « oui, c'était intéressant ».

Pskov se trouve sur les marches occidentales de cet empire qui était condamné à l'immensité s'il voulait enfin trouver quelque chose qui ressemblât à une frontière naturelle : rivage ou chaîne de montagnes.

Rien de ce genre ne se présentait à l'ouest avant l'océan Atlantique. Aussi cette région était-elle semée de forteresses qui la protégeaient, selon les époques, des Polonais, des Lituaniens, surtout des moines-soldats luthériens dont les baronnies baltes constituaient les postes avancés et qu'attirait l'accès aux voies commerciales « des Varègues aux Grecs ».

Sur le chemin qui menait à Petchori, les Blondeau rencontrèrent donc, à Izborsk, une de ces places fortes. L'endroit portait aussi un nom estonien : Irboska . Et comment les chevaliers Porte-Croix l'avaient-ils baptisé, eux qui avaient bataillé pendant plus de trois siècles sans pouvoir le garder ? Ils s'y arrêtèrent pour la forme car il n'y avait rien à voir – que des tours éventrées et des murailles ébréchées –, mais au grand scandale de quelques dizaines de choucas criards qui jaillirent en tourbillonnant des ruines où ils avaient établi leur colonie. Toujours le même paysage : une plaine marécageuse, des forêts, des chemins défoncés, au bord desquels s'élevaient quelquefois des isbas toutes noires, et toujours de guingois car l'absence de fondation s'ajoutant à l'instabilité du sol qui gelait et dégelait sans cesse, les murs en rondins de ces cabanes s'enfonçaient inégalement dans la glèbe, comme dans un tableau de Chagall, mais sans la fantaisie colorée qui en fait la poésie. Et il n'y avait pas de violon sur le toit.

Le bourg de Petchori ne les intéressait pas. Lucile et François se firent conduire directement au monastère, et le taxi les arrêta au bout de la courte allée qui s'en allait buter sur une tour massive, fermée par une porte à l'épreuve des béliers. De part et d'autre se développait une muraille qui suivait la crête d'une colline basse, plongeait en pente douce dans le vallon et refermait sa boucle en remontant sur la colline opposée. Le monastère avait disposé ses bâtiments sur chacun des deux versants, de part et d'autre de la ligne de thalweg, mais on n'en voyait rien.

Comme ils approchaient de la porte, ils virent s'ouvrir en son milieu un lucarneau rectangulaire derrière lequel apparurent deux yeux, qui s'effacèrent aussitôt, en même temps que se refermait le pertuis et que se faisait entendre le grincement d'un verrou qui éveillait les échos de la voûte. Une petite porte s'ouvrit dans l'épaisseur de la grande et ils se trouvèrent en présence du frère tourier, qu'ils saluèrent et auquel ils remirent le petit billet par lequel Platonov faisait savoir qu'ils étaient attendus par le père Athanase.

« Une minute ! » dit le moine.

Et il appela un garçonnet à qui il remit le message et qui disparut en courant dans les profondeurs du vallon. Les Blondeau s'avancèrent de quelques mètres pour jeter un coup d'œil sur le site. Entre les branches des arbres dénudés, c'était toute une bourgade qui s'offrait au regard, mais les églises ou chapelles dominaient, attirant l'attention par l'éclat de leurs bulbes multicolores, parfois réunis en grappes.

À ce moment retentit un carillon qu'on aurait qualifié d'endiablé, n'eût été la sainteté des lieux. Rien à voir avec les sonneries de chez eux qui, même quand elles appelaient à des festivités, gardaient quelque chose de solennel. Le carillon de Petchori avait des sonorités guillerettes de xylophone et presque de clavecin. Elles évoquaient plus les beffrois flamands que les églises de France. Ils écoutèrent deux minutes ce concert, immobiles, puis ils descendirent encore un peu et, l'allée tournant brusquement, découvrirent la façade d'une église. La porte justement s'ouvrait, et il en sortit, s'avançant vers eux, le cortège chamarré des officiants, revêtus de toute la pompe de leurs vêtements liturgiques. Or, argent, brocarts, dentelles, pierreries étincelaient sous le ciel gris. Il y avait là une demi-douzaine de dignitaires, conduits par un haut personnage à la barbe flottante qui ne manqua pas de repérer les deux étrangers. Il marqua une pause, les salua, s'enquit de leur nationalité, leur souhaita la bienvenue, les invita à se promener librement dans son domaine et reprit sa marche, du même pas solennel, dans l'écho mourant du carillon qui peu à peu s'apaisait. À distance respectueuse, c'était maintenant le troupeau des fidèles qui sortait de l'église, hommes et femmes, aussi ternes et aussi humbles dans leur tenue et dans leur physionomie que leurs pasteurs s'étaient montrés majestueux. On se serait cru dans un opéra du grand-père de Mlle Steinberg.

Le petit commissionnaire du frère tourier était revenu. Le père Athanase faisait savoir qu'il était retenu par les devoirs de sa charge, mais qu'il serait heureux de les recevoir après 15 heures.

Ils sortirent donc du monastère, à la recherche d'un restaurant, modeste naturellement, qu'on appelait plutôt une *stalovaïa*, littéralement une salle à manger. À côté de la table où ils s'installèrent, se trouvaient déjà deux jeunes popes. La carte qu'on leur apporta avait des dimensions dignes de celle qu'on présentait à l'Astoria, mais seuls une dizaine de plats portaient un prix. Cela signifiait que les autres n'étaient pas disponibles. Ils choisirent une salade vitaminée, des boulettes garnies et une tarte. Pas d'eau minérale autre que la Palioustrovo, qui avait un goût fortement iodé. Ce serait donc de l'eau du robinet, avec un thé pour finir.

La salade venait d'arriver quand se présentèrent trois jeunes gens. Ni François ni Lucile n'entendirent rien, mais il n'en fut pas de même, semble-t-il, de leurs voisins, car ils virent soudain l'un des jeunes popes se lever, furibond, de sa chaise et apostropher violemment les nouveaux venus. Ce fut bref mais décisif. Les autres ne répliquèrent pas et allèrent s'asseoir au plus loin des fulminants ecclésiastiques. À Petchori, le pouvoir n'était peut-être pas du même côté que partout ailleurs en URSS.

De retour au monastère, et forts de l'invitation que leur avait adressée le père supérieur, ils entreprirent l'exploration du vallon en attendant de retrouver le père Athanase. Il y avait peu de monde dans les allées. Ils entrebâillèrent quelques portes, s'engagèrent sous un porche qui ne menait nulle part, et ils étaient presque résignés à ne contempler que l'extérieur des bâtiments quand une rumeur attira leur attention vers une église qui leur parut d'abord modeste, jusqu'à ce que, s'approchant de la façade, ils s'aperçoivent que c'était en réalité un édifice d'importance. Les grands arbres en dissimulaient les vastes proportions. Ils entrèrent. La nef était pleine à craquer et scintillait des lueurs de dizaines de candélabres disséminés dans tout le volume de l'oratoire. Le murmure qu'ils avaient entendu était celui des prières que psalmodiaient à l'unisson les fidèles et les officiants. Bientôt, sur le fond indistinct de la prière commune, se leva comme une Assomption une voix nouvelle, qui avait la puissance et l'autorité d'une incantation. Une riche polyphonie vocale ne tarda pas à la soutenir, dont la source était invisible mais qui semblait logée au cœur même de la foule en oraison. Ils étaient là, les fameux chœurs de Petchori. Les sonorités du vieux Slavon, modulées par la basse profonde des chantres, déroulaient leurs échos comme une houle. Elles semblaient la voix même des saintes figures dont les représentations tapissaient murs et plafonds. Le fond, d'or et d'azur, sur lequel elles se détachaient, élargissant la courbure de la coupole jusque dans les lointains d'un ciel de légende, suggérait des profondeurs illimitées. Les Blondeau, figés, se laissaient prendre à cette magie qui les plongeait quelques siècles en arrière, loin des commissions de contrôle, des tracasseries de l'OVIR et des perversités à double entente de la Gamiani.

Il leur fallut faire un effort pour s'arracher à temps au sortilège et retrouver, sous le porche d'entrée, le père Athanase, exact à son rendez-vous.

Le camarade de Platonov avait à peu près son âge mais nullement sa stature. Il portait l'uniforme de tous les moines de Petchori et d'ailleurs : soutane noire jusqu'aux talons, bonnet carré sur la tête, longs cheveux grisonnants et barbe assortie. Mais il se distinguait des autres par ses lunettes, aux verres si réduits qu'on croyait d'abord à un pince-nez. Mais non, on apercevait de chaque côté les fines branches de leur monture qui disparaissaient dans la broussaille de ses cheveux. Il leur fit la surprise de s'adresser à eux en français. En y réfléchissant, il n'y avait à cela rien d'extraordinaire, cette commune passion pour la langue des Blondeau était sans doute un des ciments de leur amitié.

« Bienvenue à Petchori ! répéta-t-il après son supérieur, je suis très heureux de recevoir des Français, amis de mon bon Dimitri. Veuillez me suivre ! »

Et il les conduisit, tout près de là, à un long bâtiment, dont il occupait l'une des extrémités.

Son logis était sobre : un poêle, devant la fenêtre minuscule une table portant un pupitre et trois chaises, dont deux avaient été manifestement ajoutées pour les visiteurs. Dans un angle de la pièce le « beau petit coin » : une icône veillée par un lumignon et à demi voilée par une fine dentelle. Dans le fond, une porte, pour le moment fermée, donnait peut-être sur son atelier. Un peu partout, des livres.

Les Blondeau avaient convenu de ne pas aborder les premiers l'objet de leur visite. Ils laissaient l'initiative de la conversation à leur hôte, qu'ils observaient attentivement. Jouait-il un rôle dans le double jeu de Platonov ? Fallait-il craindre de lui une complication supplémentaire? Mais Athanase semblait bien étranger à ce monde truqué. Il s'intéressait à eux, à leur travail à l'université. Il apprit avec plaisir la visite prochaine de Jean Vilar. Mise en confiance, Lucile lui raconta l'algarade à la *stalovaïa*. Le père dit simplement, mais on sentait comme une nuance de mépris dans sa voix :

« C'était sans doute des Moscovites. Les habitants de Petchori sont fiers de leur monastère. Ils nous aiment et ils nous respectent. »

C'était dit comme une évidence et les Blondeau retrouvèrent une impression qu'ils avaient déjà ressentie à Zagorsk, en Ouzbékistan et tout récemment au restaurant : que dans ce pays qu'on croyait dompté, subsistaient des poches de résistance, comme des braises des anciens temps, que le pouvoir surveillait faute de pouvoir les éteindre. Une faute d'inattention, une conjoncture défavorable pouvaient revigorer ces forces engourdies, et les Blondeau n'étaient pas sûrs que le pays y gagnerait. La douceur et la pondération du père Athanase, la sérénité des croyants dans la grande mosquée de Tachkent n'occultaient pas la violence du pope de Petchori. Les Russes n'en avaient pas fini avec le despotisme et l'intolérance, et les commissions de contrôle avaient encore un bel avenir. Il suffirait de changer les critères.

Cependant, le père Athanase préparait le thé. Il avait pour cela retiré la petite théière qui trônait sur un samovar, que les invités n'avaient pas remarqué, et il avait versé dans des verres une petite quantité d'un sirop couleur de réglisse, qu'il étendit ensuite avec l'eau frémissante du réservoir. La boisson prit aussitôt une couleur ambrée qui réchauffait déjà le regard. Restait la touche finale : une cuillerée de confiture.

« Ce sont des baies que nous cueillons dans les collines. Vous verrez, c'est délicieux. »

Une question les tourmentait :

« Père, vous connaissez les fresques qui se trouvent dans l'église à côté de notre hôtel ?

— Ah ! Vous avez visité Saint-Cyrille ?

— On dit qu'elles sont peut-être de Théophane. Qu'est-ce que vous en pensez ?

— Il n'y a pas le moindre doute ! Les experts retiennent leurs conclusions parce qu'elles vont les obliger à reconsidérer tout ce qu'ils croyaient savoir sur le passage de Théophane en Russie, mais ils y viendront tôt ou tard. Vous savez, chez nous, l'art de l'icône est très codifié… Nous ne faisons pas ce que nous voulons ! »

Les visiteurs apprécièrent le « nous » qui donnait à l'entretien une tournure plus en rapport avec la raison même qui les avait conduits à Petchori…

« Il existe des manuels qui nous servent de guide pour les compositions, les figures, les couleurs… Une icône est un document théologique, pas seulement une œuvre d'art ! Mais Théophane venait de Constantinople et il avait défini ses propres codes. Quand il est arrivé à Novgorod, les artistes locaux ont été stupéfaits, il peignait sans modèle. C'est pourquoi on reconnaît facilement un Théophane ! Ce que je vais vous montrer est bien inférieur, mais j'espère que cela vous plaira. »

Et il disparut par la petite porte de derrière, pour en ressortir presque aussitôt avec, à la main, un petit coffret qui ressemblait à un livre.

« Savez-vous, leur dit-il, que c'est la première fois que Dimitri fait appel à moi ? Vous avez dû lui rendre un bien grand service ! »

Les Blondeau ne pouvaient quand même pas répondre que c'était, en effet, ce qu'ils craignaient…

« Nous lui avons simplement rapporté de France un livre auquel il tenait beaucoup.

— C'est un bibliophile passionné, vous savez ! Vous n'avez pas idée de la richesse de ses collections. »

Là encore les visiteurs du père Athanase auraient pu lui en apprendre plus qu'il ne le croyait sur les goûts de

M. Platonov. Mais ils gardèrent leurs réflexions pour eux et ouvrirent le petit coffret. Ils découvrirent une mince planchette d'un bois léger qui devait être du tilleul. La partie centrale en avait été évidée, de façon à ménager sur le périmètre une surépaisseur qui faisait office de cadre. C'était une *Vierge à l'enfant*, dessinée avec beaucoup de sûreté et dans des couleurs à la fois sombres et douces, qui ajoutaient à la gravité de la scène. Ils contemplèrent l'image en silence, remercièrent chaleureusement son auteur et replacèrent le tableautin dans sa boîte protectrice. Au même moment, d'un lointain campanile, s'éparpillaient, comme d'un goupillon musical, les notes annonciatrices d'un nouveau service. Il n'y avait pas de doute, le monastère de Petchori « travaillait ».

Les Blondeau ne voulaient pas se sauver comme des voleurs sitôt reçu leur cadeau. Ils prolongèrent donc la conversation quelques minutes, par politesse, regrettant l'état souvent pitoyable dans lequel ils avaient trouvé certains fleurons du patrimoine russe. Mais le moine se montra d'une indulgence inattendue. L'État, disait-il, ne pouvait pas tout faire. Pendant le blocus…

« Encore le blocus ! » pensaient les Blondeau…

Pendant le blocus, les premiers convois qui quittèrent la ville par la « route de la vie », qu'avait rendue possible le gel de la Neva, transportaient, à côté des vieillards, des enfants, des blessés, les chefs-d'œuvre les plus précieux de l'Ermitage, qui passèrent la guerre loin des combats, à Ekaterinbourg. Le reste des collections fut mis à l'abri dans les caves du palais, sous la garde de douze mille personnes chargées de leur protection. Moyennant quoi le musée put s'ouvrir pour une première exposition dès le 7 novembre 1944.

Et des sommes considérables furent investies dans la reconstruction à l'identique de Petrodvoriets dont les fascistes avaient fait un champ de ruines.

Cette fois, le temps pressait. Les invités du père Athanase firent valoir que leur taxi s'impatientait sans doute et qu'il était temps de rentrer à Pskov.

Ils y arrivèrent avec la nuit. Leur train partait dans l'après-midi du lendemain. Cela leur laissa le temps de faire un petit tour sur le Kremlin, d'où ils revirent, de l'autre côté de la rivière, la petite église de misère où on les avait si bien reçus la veille.

Il leur fallut quand même attendre le matin qui suivit leur retour à Leningrad pour recevoir le coup de téléphone qu'ils attendaient. François décrocha, il n'y avait personne au bout du fil.

« Tout est en ordre… » murmura-t-il.

IX

Tout les poussait à prendre contact au plus vite avec Platonov. Il leur avait demandé de lui apporter le cadeau du père Athanase pour obtenir de l'Ermitage une licence d'exportation ; Thibaudeau devait être informé au plus vite en cas de nouvelle commande ; enfin, ils seraient débarrassés d'une inquiétude quand ils sauraient à quoi s'en tenir. Mais c'est cette inquiétude même qui les retenait de donner le coup de fil libérateur. Platonov leur faisait peur, il les obligeait à jouer une comédie dont ils ne se sentaient pas pour le moment capables. Ils se persuadèrent donc aisément que, quand même, cela pouvait attendre quelques jours, et ils reprirent contact d'abord avec les Trocmé.

Katarina allait mieux et l'hôpital l'avait autorisée à réintégrer l'hôtel Moscou, où une infirmière qui s'était prise d'amitié pour elle avait promis de lui rendre visite régulièrement. Olga Xhoxhlova, fille d'une cantatrice réputée qui avait été la partenaire de Chaliapine, était une femme d'une grande bonté, et qui jouissait dans son institut d'une réelle autorité. La grande difficulté avait été d'abord de convaincre le directeur que sa responsabilité ne serait pas engagée en cas de complications, ensuite de se procurer le médicament qu'elle devait administrer à sa patiente ainsi externalisée, l'institut ne le possédant pas. On avait donc renvoyé Marc-Olivier aux pharmacies de la ville. Mais il en allait des pharmacies comme des autres magasins. Une fois qu'on avait éliminé ceux qui étaient fermés « pour travaux », « pour cause d'inventaire », ou dont c'était justement le « jour sanitaire », il n'en restait pas tellement. L'ami Trocmé avait donc sagement pris un taxi et, la chance aidant, avait trouvé dès sa troisième tentative le produit demandé.

Dès les premiers jours d'avril, un soudain changement de temps avait modifié l'atmosphère dans la ville. L'interminable prostration de l'hiver approchait de sa fin et déjà, dans quelques logements, on avait décollé les fenêtres. Peu après leur arrivée, les Blondeau avaient été surpris de recevoir la visite d'une femme qui leur apportait, comme une chose allant de soi, un rouleau de papier fort, un petit sachet de poudre et un pinceau. Elle leur avait montré les fenêtres, puis, usant d'une mimique plus pédagogique, elle leur avait fait comprendre qu'en délayant la poudre avec de l'eau, on obtenait une colle. Il fallait ensuite, à l'aide du pinceau, en enduire le papier que l'on appliquait sur les jointures des fenêtres pour prévenir les infiltrations d'air glacé. Seul un petit vasistas, tout en haut, devait rester libre pour aérer la pièce de temps en temps. Ils en avaient retenu le joli nom : c'était la *fortotchka*. Le décollage des fenêtres était donc une opération symbolique, le rite un peu païen d'une société qui marquait de cette façon l'entrée dans la belle saison.

Le fleuve aussi faisait craquer ses coutures et sa carapace de glace commençait à se fissurer. Un beau matin, en descendant du bus sur la place Pouchkine, François Blondeau vit quelques dizaines de curieux penchés sur le parapet. La débâcle avait commencé et un courant violent charriait au ras des rives tout un déménagement de cristaux et de vaisselle en miettes, les débris des blocs énormes que le lac Ladoga lançait sur la ville et que les autorités dynamitaient loin en amont pour éviter qu'ils n'endommagent les piles des ponts ou les perrons de pierre qui descendaient à la rivière.

L'événement n'était pas silencieux, les tessons de glace s'entrechoquant sur la surface immense du fleuve. Un bruit de papier froissé montait de cette déroute, sur lequel se détachait parfois une détonation étouffée, provenant de la collision brutale de deux petits icebergs, qu'on voyait au loin culbuter dans le flot avant de reprendre leur place et de filer bon train vers la Baltique. On apercevait aussi quelquefois une épave, une grosse branche, des débris informes que le flot avait arrachés à la rive et dont le noir dur tranchait sur la blancheur du radeau qui les portait. Moins dociles au courant, ils semblaient se battre contre lui, en culbutes désordonnées, comme une bête en train de se noyer.

La purge durerait deux ou trois semaines, avec des phases alternées de gel, de dégel et de regel, exactement comme dans la sphère politique, où les hésitations du Pouvoir, que se disputaient conservateurs et rénovateurs, faisaient craindre un retour brutal de la période glaciaire, qui obligerait les citoyens à calfeutrer de nouveau leurs opinions avec autant de soin qu'auparavant leurs fenêtres.

Le cycle des saisons était heureusement plus fiable que celui des idéologies et l'été finissait toujours par gagner. Pourtant, début mai, on pourrait encore apercevoir des glaçons retardataires passant en convois clairsemés devant les plages de la forteresse. Sur le sable grossier, des dizaines de personnes, qu'on ne pouvait quand même pas appeler des baigneurs, prenaient le soleil, les hommes en slips sombres, les femmes le plus souvent en sous-vêtements, toutes chairs dehors. Les plus frileux s'appuyaient contre la muraille pour bénéficier du rayonnement, les gamins, avec des bouts de bois, attiraient sur la grève les cristaux les plus jolis pour les regarder fondre à côté d'eux. Il flottait un air de fête, sans oriflammes, sans discours, sans défilés, mieux encore que des vacances, une vacance de l'esprit et du corps, qui renouaient avec des bonheurs indifférents à la philosophie de l'histoire et à ses grands prêtres. Mais on n'en était qu'au début du printemps, il faudrait attendre encore un peu pour goûter à ces plaisirs, et les Blondeau avaient des préoccupations plus immédiates.

À l'université, la prochaine visite du TNP commençait à exciter les esprits. La troupe avait déjà visité la ville quelques années auparavant et la colonie francophile s'en souvenait avec émotion. Jean Vilar, à cette époque, avait rencontré professeurs et étudiants. Reviendrait-il cette année ? Les lecteurs furent interrogés. Ils n'en savaient rien, mais ils promirent de poser la question à l'ambassade, qui négociait le programme de la tournée. Le pouvoir moscovite se méfiait de Leningrad, une ville qu'il trouvait trop prompte à manifester son attachement à la culture occidentale, et il arrivait parfois que des artistes prestigieux passent au large sans s'arrêter sur les rives de la Neva.

Finalement, ce fut Platonov qui se manifesta le premier. Il ne s'inquiétait pas, il était simplement curieux de savoir si leur voyage s'était bien passé et s'ils avaient pu rencontrer son ami le moine. François lui fit une description succincte de l'icône et Platonov les invita à la lui montrer prochainement, le mardi suivant à 14 heures, pour être précis. Mais à cette heure-là, seul François était libre, Lucile travaillant à des enregistrements au laboratoire de langue, sous la houlette d'une phonéticienne que désespéraient des traces d'accent toulousain dans sa diction, qui ne connaissait que le « o » ouvert.

« Alors venez seul, je voudrais vous présenter à un ami qui n'est à Leningrad que pour peu de temps. Il doit passer un peu avant 15 heures. Nous pourrons parler de votre prochain voyage. J'ai beaucoup de choses à vous demander, mais vous serez sans doute encore chez nous l'année prochaine ? »

À cela, Blondeau répondit que c'était peu probable et que, de toute façon, la décision ne dépendait pas que de lui.

Il avait à peine raccroché que le téléphone sonna de nouveau.

« Allô, Blondeau ? »

C'était Thibaudeau.

« Quoi de neuf ?

— Rien de particulier. Nous rentrons de Pskov…

— Dites donc, j'ai demandé à l'Astoria de préparer un repas en l'honneur du TNP. Le 22, c'est un mercredi. Vingt-cinq personnes. Il me faut six Russes ! Vous pouvez voir ça avec Trocmé ?

— Oui, certainement. Je viens d'avoir justement Platonov au téléphone. Je le mets sur la liste ? »

Blondeau n'avait-il pas cru percevoir comme une hésitation dans la voix au bout du fil ?

« … C'est une très bonne idée ! Tenez-moi au courant.

— Bon, alors, très bien, je…

— Ah ! J'oubliais ! Il vient d'arriver un Français à Leningrad pour quelques jours. Il est à l'hôtel d'Angleterre.

— Et alors ?

— Il ne faut pas le rencontrer ! »

Quelques jours plus tard, ils étaient chez les Trocmé, la *dijournaïa* pouvait en témoigner. Sur les six Russes demandés par Thibaudeau, Marc-Olivier pouvait en fournir trois. Mais il y avait parmi eux un traducteur rival de Platonov. C'était, lui aussi, un homme de grande réputation, une des gloires de l'Institut Herzen. Malheureusement, les deux hommes ne s'aimaient pas : la judéité du second était-elle pour quelque chose dans l'hostilité du premier ? Ou bien son amitié pour Brodsky et Soljenitsyne, qui en faisait un dissident infréquentable? Le jury délibéra et vota pour Platonov. À la place de Bildstein, on inviterait la responsable des études françaises à l'Institut. Les Blondeau proposèrent Mlle Steinberg. Elle refuserait, naturellement, mais serait sensible à la démarche. Elaguine, bien sûr, serait du nombre, et puis Tatiana Zaboulkina, une de ses collègues à la chaire des littératures occidentales.

C'était un sosie de Mrs Kuhlman : même stature, même dignité dans la démarche et les manières, même goût pour le mauve et le lilas, ses « *preferred colors* ». On la voyait quelquefois marcher lentement dans les couloirs de la fac, une étudiante à chaque bras, la tête penchée vers l'une, puis vers l'autre. Elle avait invité un soir les lecteurs à dîner. Elle habitait un appartement extraordinaire, qui avait été découpé dans la salle de bal d'un palais mitoyen de l'Ermitage, les architectes soviétiques ayant adopté la philosophie bruxelloise du « façadisme ». On voyait sur le parquet les motifs en marqueterie de bois précieux, d'une dimension démesurée par rapport à celle du salon, qui disparaissaient sous la cloison pour se poursuivre dans le logement voisin. L'immense fenêtre se trouvait juste en face de la forteresse Pierre-et-Paul, d'où on devait tirer ce soir-là un feu d'artifice en l'honneur de l'Armée rouge, dont c'était la fête. On était donc le 23 février, et la retombée des flammèches sur le chaos lunaire de la Neva sous les glaces faisait un spectacle grandiose. François avait porté un toast à l'héroïne de la soirée en formant le vœu « qu'elle ne serve jamais ». Hélas, la bouteille de champagne qu'on lui demanda de déboucher pour l'occasion venait du Caucase et le bouchon était en plastique. À peine eut-il dénoué l'armature métallique que celui-ci fusa comme un obus et il se retrouva avec la moitié du contenu sur le pantalon.

Ils racontèrent la scène à leurs amis et vantèrent la grande culture de Zaboulkina pour expliquer leur choix, mais ils restèrent discrets sur les mérites de Platonov. Ils ne tenaient pas à ce qu'ils les interrogent sur ce personnage et sur les raisons de sa présence. D'avoir à décider de la position à prendre lors du prochain rendez-vous occupait déjà suffisamment leur esprit. Ils ne souhaitaient pas en parler. Et, de toute façon, les Trocmé n'auraient rien compris à leurs explications puisqu'ils ignoraient tout des épisodes précédents.

Quand vint enfin le moment de répondre à la convocation du traducteur bibliophile, les deux Blondeau allèrent ensemble jusqu'au quai de l'Université et François continua seul. Il aurait pu prendre le tram, mais il préférait marcher, autant pour se donner le temps de se composer un maintien durant cette entrevue que pour jouir du spectacle de la rivière et de cette bouffée de douceur qui risquait de ne pas durer.

L'homme qu'il allait voir était un maillon dans une filière de renseignement par laquelle eux, les Blondeau, s'étaient fait piéger, innocemment bien sûr, mais sans contestation possible. Ce point-là au moins était acquis. Côté français, François se sentait dans une relative sécurité du fait de ses confidences à Thibaudeau. Côté russe, c'était moins certain, parce que, dans le cas où ils apprendraient sa trahison, les « rouges » lui colleraient sur le dos une étiquette d'agent double. Les Blondeau étaient de parfaits naïfs en matière d'espionnage, n'en connaissant que les clichés qu'en donnaient le cinéma et la littérature. Et encore… Dès qu'un vrai spécialiste en parlait, ils se perdaient tout de suite dans le maquis des machinations vraies ou supposées, et des officines plus ou moins occultes, dont la boutique à double usage du vieux Semion n'était peut-être pas un mauvais exemple. François aimait beaucoup, par exemple, les romans de John le Carré, mais il n'était jamais sûr d'avoir tout compris. À cet imbroglio il ne voyait qu'une sortie : quitter le pays le plus vite possible, et définitivement. D'où sa réponse à Platonov, qui voulait le retenir. C'était ça, un « officier traitant » ?

À se perdre sans fin dans ces réflexions, il parcourut le long trajet qu'il avait à faire sans s'en rendre compte, et quand il se retrouva devant la porte de Dimitri Lvovitch, il s'aperçut qu'il ne s'était même pas interrogé sur ce nouvel ami que celui-ci voulait absolument lui faire connaître. À quelle facette de sa personnalité appartiendrait-il?

Platonov était seul, il l'accueillit avec son amabilité coutumière et l'invita à prendre place dans le salon. En passant devant les étagères qui bordaient les deux côtés du couloir, Blondeau observa discrètement les livres qui s'y trouvaient. Son regard n'échappa pas au maître des lieux qui lui dit le plus naturellement du monde :

« Ne cherchez pas la Gamiani, elle est à la datcha ! »

Au fond de la pièce, près de la fenêtre, un bureau chargé de livres fournit à Blondeau un début de conversation.

« Vous avez l'air très occupé ! À quoi travaillez-vous en ce moment ?

— Je me suis remis à Racine, mais j'ai changé de genre. Je traduis *Les Plaideurs*. C'est une pièce qui n'est pas connue chez nous, et c'est de la prose, c'est plus facile. »

On ne pouvait souhaiter transition plus naturelle :

« Puisque nous en sommes au théâtre, j'ai une invitation à vous adresser. Je suppose que vous irez voir Jean Vilar, dans quinze jours ?

— Mais comment donc ! J'ai mes billets depuis longtemps !

— Notre conseiller culturel, M. Thibaudeau, organise un repas à l'Astoria le 22, il aimerait beaucoup vous y voir. C'est possible ? »

Naturellement que c'était possible ! M. Platonov était très flatté de l'invitation et il priait M. Blondeau de remercier vivement M. Thibaudeau. Cela dit, les courtoisies diplomatiques ne pouvaient s'éterniser et on en vint aux choses sérieuses.

« Alors, ce voyage à Pskov ? Vous m'avez dit que vous aviez rencontré Athanase, je ne savais pas qu'il s'était installé à Petchori. Vous avez apporté son cadeau ? »

Blondeau lui montra l'icône, qu'il portait dans sa serviette.

« Dites donc ! s'exclama Platonov, il vous a gâté, mon bon camarade. Il vous a donné une copie de la *Vierge du Don*, une des rares icônes qu'on ait conservées de Théophane. Vous permettez que je la garde ? Je vous la rendrai le 22, avec le certificat de l'Ermitage. Quand allez-vous à Paris ? »

La conversation approchait doucement des sujets sensibles. François Blondeau commençait tout juste à expliquer qu'ils quitteraient Leningrad dans les derniers jours du mois, quand la sonnette retentit.

« Ah ! 15 heures ! C'est Lev qui arrive. »

Lev ?

D'où il était, le visiteur ne voyait pas la porte, tout juste l'amorce du corridor, et le portemanteau où il avait accroché sa pelisse. Les deux hommes se saluèrent, et Blondeau vit seulement une main qui posait au-dessus de son vêtement une casquette. Militaire. Il eut donc le temps de préparer le sourire par lequel il lui faudrait accueillir Léon Détrée, alias Léon le Niais. Il était aussi, à n'en pas douter, le Lev « quelque chose » qui s'était montré si pressant auprès de la jeune Estelle et si désireux de s'assurer de leur loyauté à eux, les Blondeau. « Lev » était la version russe du « Léon » français. Progressivement, quelques morceaux du puzzle commençaient à s'ajuster.

« M. Blondeau, permettez-moi de vous présenter mon ami Lev Grigorenko. Je suis sûr que vous aurez plaisir à bavarder, il connaît très bien la France. »

Les deux acteurs furent parfaits. On aurait juré qu'ils étaient l'un et l'autre stupéfaits et ravis de se retrouver au bout de l'île Vassilievski, sept ans après s'être quittés à Notting Hill Gate.

« Bernard ! s'écria Léon.

— Léon ! » s'écria François.

Il fallut expliquer à Platonov les changements patronymiques qu'avait rendus nécessaires la société de Mrs Kuhlman.

L'uniforme de Léon empêchait qu'on lui posât des questions sur l'itinéraire qui l'avait conduit là où il en était. Ce fut donc à Blondeau d'expliquer par quel heureux hasard il se trouvait depuis un an dans une des plus belles villes d'Europe, à travailler de son mieux à la connaissance de la langue française. Léon s'en montra ravi.

« Dimitri Lvovitch m'a dit tout le bien qu'il pensait de votre travail. C'est un homme de goût comme vous savez, et vous êtes le seul à pouvoir enrichir une bibliothèque tout à fait originale ! »

François Blondeau accusa réception en silence du compliment, tout en prenant bonne note du vouvoiement.

« C'est bien pourquoi vous nous voyez navrés d'apprendre que vous envisagez de nous quitter à la fin de l'année. C'est bien votre intention ? »

À quoi il lui fut répondu que la santé de son père… le désir d'enfant de Lucile… et puis que tout le monde à l'université n'était pas aussi désireux que lui de les voir prolonger leur séjour.

« Dourakinova ne pèse rien ! Oubliez-la ! »

Il y eut un bref silence. Léon rapprocha sa chaise. Son ami restait silencieux ; c'était même cela qui troublait François Blondeau : plus que l'assurance brutale de Léon, l'effacement total du tonitruant Platonov. Le Falstaff des traductions se faisait discret et modeste, comme un employé devant son patron.

« Écoutez-moi bien, Bernard. Le livre que vous avez apporté à Dimitri, celui que vous lui apporterez dans quelques semaines, ils ne sont pas destinés seulement à des amateurs de paillardises. Il y a chez nous des ingénieurs de grande qualité qui y trouvent quantité d'enseignements. Vous comprenez ce que je veux dire ? »

Au lieu de répondre, Blondeau s'empressa de vérifier la justesse de l'hypothèse qui lui était venue à l'esprit cinq minutes plus tôt :

« C'est vous qui avez rencontré Estelle Dumazedière il y a quelque temps, chez un des professeurs de l'université ?

— Ah ! Elle vous a raconté ? Eh bien tant mieux, vous avez donc compris de quoi il s'agit vraiment…

— D'espionnage !

— Nous, nous préférons parler de collaboration scientifique. Mais si la DST avait connaissance de vos activités, c'est probablement le mot qu'elle utiliserait, ce qui nous mettrait tous dans une situation embarrassante. Vous surtout ! Mais il y a autre chose… »

Il parlait maintenant un peu plus bas, comme si Platonov lui-même devait ignorer cette partie de la conversation.

« Croyez-vous, mon cher Bernard… »

Blondeau n'aima pas du tout cette manifestation d'amitié.

« Croyez-vous que nous soyons complètement satisfaits de votre conduite ? Vous aimez la photographie et le cinéma, Bernard, mais vous semblez avoir un faible pour les sujets militaires…

— Si vous voulez parler des photos que j'ai prises pendant le défilé de l'année dernière, je vous rappellerai que nous avions été invités à prendre place dans la tribune officielle et que j'avais demandé au Bureau des étrangers l'autorisation de filmer !

— Pour vos archives familiales, nous n'en doutons pas. Mais vous vous êtes aussi intéressé de près aux bâtiments qui s'étaient amarrés dans la Neva pour le 1er mai. »

François Blondeau ne pouvait nier : il avait été séduit par le spectacle de ces trois croiseurs à l'ancre entre l'Ermitage et la forteresse. Conscient que ce qu'il voulait faire n'était peut-être pas tout à fait licite, il avait pris tout son temps, et même un peu plus, pour régler sa caméra. Si un milicien était dans les parages, il avait eu tout le temps d'intervenir. Apparemment, il avait préféré faire son rapport… Il répondit donc simplement qu'il n'avait pas l'impression d'avoir fait des choses bien répréhensibles.

« Ce n'est pas ce que vous faites qui importe. C'est ce que nous, nous pouvons en faire. Et nous avons des tribunaux qui n'ont pas leurs pareils pour démontrer la culpabilité des innocents les plus sûrs de leur droit. Je ne vous croyais pas candide au point de ne pas avoir saisi cette vérité. Vous êtes un littéraire, Bernard, et un esprit subtil. Vous vous souvenez de Beaumarchais : "Que les gens d'esprit sont bêtes !" Vous avez mieux à faire que de lui donner raison ! »

En réalité, Beaumarchais avait repris une formule de Chamfort, mais cela ne changeait rien au dépit de François : qu'il le voulût ou non, Léon le Niais le traitait tout bonnement d'imbécile et son amour-propre en prenait un coup.

« Je n'ai pas beaucoup de temps, laissez-moi conclure : nous vous demandons de prolonger d'un an votre travail à l'université. Il nous faut encore trois ouvrages, peut-être quatre. Je vous téléphonerai à votre retour de Paris et vous me répondrez "oui" ou "non". Dans le premier cas, nous resterons bons amis. Si vous refusez, attendez-vous à des ennuis très sérieux à votre retour en France, ou même avant, chez nous. Nous avons les moyens de nuire à vos intérêts sans contrarier les nôtres. Si vous voulez me joindre, à tout moment contactez Platonov. Il sait où me trouver. »

Là-dessus, Léon Détrée se leva, salua fort poliment « Bernard », interdit, et prit congé de son hôte, qui l'accompagna jusqu'à l'escalier. La conversation, comme on s'en doute, ne se prolongea pas bien longtemps. Platonov demanda à Blondeau de lui rapporter l'édition originale d'*Histoire d'O*, publiée chez Pauvert en 1954. François faillit répondre qu'il n'était pas sûr que son fournisseur de Saint-Sulpice eût cet article en magasin. Mais il se dit à temps que son objection était stupide. Le bouquin de Pauline Réage l'attendait probablement déjà dans les caves du faux dévot, après avoir été « traité » par une officine discrète, installée peut-être dans les sous-sols de leur ambassade.

X

À la grande satisfaction des Blondeau, la semaine qui suivit la rencontre avec Léon Détrée marquait le début d'une période qui verrait de nombreux échanges entre Leningrad et Moscou. D'abord, le vice-recteur avait tenu la promesse faite à Thibaudeau et les étudiants voyageaient plus librement. De leur côté, la tournée du TNP et surtout la visite du président français quelques semaines plus tard nécessitaient maints déplacements pour régler sur place des détails protocolaires. Enfin, le retour des beaux jours donnant la bougeotte à la petite colonie française de Moscou , la ville de Pierre était une destination rêvée pour un week-end prolongé.

C'est ainsi qu'ils eurent le plaisir d'accueillir sur leur divan, pour deux nuits, Josette de Bernay, la documentaliste de l'ambassade. Ils lui firent visiter la ville, et le palais de Petrodvorets, qu'on atteignait après une demi-heure de traversée sur le golfe de Finlande.

On ne pouvait malheureusement pas acheter un billet aller-retour et cela faillit leur causer bien des soucis. Le parc et le palais étant trop grands pour être véritablement visités, ils avaient pris le parti de s'en tenir au premier, se baladant au hasard, de fontaines en cascades et de cascades en pavillons, jusqu'au moment où, l'heure passant, ils jugèrent qu'il était temps de reprendre le bateau. Le visa de Josette expirait ce même jour, il ne fallait pas qu'elle rate son avion. Las ! Quand ils s'approchèrent de la petite cabane et du guichet unique où se distribuaient les billets, une queue interminable s'était déjà formée. Ils s'y étaient pris trop tard. C'est alors que, venant de nulle part, les aborda un homme qu'ils n'avaient pas remarqué et qui s'adressa, en russe, à Josette. Le ton était interrogatif, mais les paroles témoignaient d'une parfaite connaissance de sa situation. Elle devait rentrer à Moscou ce soir, n'est-ce pas ? Et il lui fallait donc absolument prendre le prochain bateau ?

C'était bien cela !

« Suivez-moi ! »

Et l'homme, doublant toute la file, les conduisit non pas au guichet mais à l'arrière du cabanon, dans lequel il les fit entrer. À sa demande, la caissière leur donna les billets, puis, toujours précédés de leur sauveur, les trois étourdis gagnèrent la passerelle d'embarquement juste avant qu'on ne la retire. Ils eurent à peine le temps de dire « merci » ; l'homme s'était déjà perdu dans la foule, et Josette de Bernay attrapa sans autre difficulté l'avion de Moscou.

Dans son sac à main, elle portait un pli cacheté qu'elle devait remettre en mains propres à Thibaudeau et qui contenait un compte-rendu détaillé de la conversation de François avec Platonov et son patron.

Lucile était d'un caractère anxieux mais elle n'était pas peureuse. Comme beaucoup de femmes, elle aurait grimpé sur une chaise pour échapper à une araignée, mais en présence d'un vrai danger on pouvait compter sur son sang-froid et sur son courage. En l'occurrence, pourtant, elle aurait bien aimé être ailleurs, par exemple chez ses parents dans l'Aisne. François, lui, se sentait tout léger léger, comme au temps de ses dix ans quand il sortait du confessionnal. C'était un bon petit chrétien. De savoir son salut garanti par une âmelette toute propre, il repartait gaillardement de l'avant, ne craignant qu'une chose, qui était de l'encrasser trop vite en commettant de nouveaux péchés. Il y en avait un surtout qui le tourmentait parce qu'il figurait dans les dix commandements de Dieu et qu'il ne le comprenait pas. Honorer père et mère, pas de problème, mais que signifiait :

« Œuvre de chair ne fera
Qu'en mariage seulement. » ?

Il avait posé la question à la dame du catéchisme. Elle lui avait répondu qu'il comprendrait plus tard. À quoi il avait rétorqué, avec les mots de son âge, que c'était tout de suite qu'il lui fallait une explication s'il ne voulait pas désobéir à Dieu. Le silence qui suivit son observation ne compta pas pour peu dans la conviction qui s'imposa tout doucement à lui que tout ça, décidément, c'était de la blague ! En URSS, au moins, les péchés étaient faciles à comprendre, sinon à absoudre ! À chaque religion ses inconvénients.

Les Blondeau – même Lucile – avaient, en sus du soulagement qu'ils éprouvaient à transférer le poids de leurs problèmes sur les épaules d'un homme dont c'était le métier de les résoudre, une autre raison de se réjouir ; c'est que, avec les beaux jours, les marchés kolkhoziens avaient retrouvé leur activité. Les travailleurs russes des fermes collectives des environs venaient y proposer des produits inconnus des magasins d'État. On pouvait, par exemple, y trouver du veau, et même du foie de veau. Ils vendaient aussi des lapins, énormes, presque obèses. On en retirait à poignées des bardes de lard, mais ils changeaient du pot-au-feu. Et puis surtout, on voyait revenir les Caucasiens et les Asiatiques. Les Russes étaient capables de faire la différence entre les Géorgiens, les Tchétchènes ou les Tadjiks. Les Blondeau, eux, ne reconnaissaient que les Ouzbeks, à cause de la petite calotte noire brodée de blanc – la *tioubitiéika* – qu'ils portaient sur la tête. Tous venaient avec des légumes et des fruits, à pleines valises, et qu'ils vendaient à des prix de marché noir. On les attendait surtout pour les tomates. Les Russes les achetaient à la pièce, les tournant et retournant, en demandant une plus petite ou une plus mûre. Il n'y avait pas assez de balances, une pour deux commerçants en général. Et quand ils en avaient une, c'était quelquefois les poids qui étaient utilisés par le marchand d'à côté. Lucile avait même vu un jour un vendeur peser ses emplettes avec un petit sac de sable, sur lequel il avait inscrit la valeur qu'il était censé représenter.

Au moins avaient-ils espéré que leur richesse relative leur vaudrait quelques avantages. Ils pouvaient payer, eux ! Mais le jour où François demanda un kilo de tomates, il provoqua derrière lui un concert de récriminations, toutes les *babas* protestant qu'il fallait en laisser pour les autres et qu'elles ne voulaient pas avoir fait la queue pour rien. Il avait dû capituler et en rabattre de moitié sur ses prétentions. Pour avoir son compte, il était allé plus loin, dans une autre queue, acheter la livre manquante.

D'autres fois, un vrai cadeau leur tombait du ciel. François revenait du bouquiniste de la Liteïny. À l'endroit où elle se branche sur la Nievski, il fut arrêté par le postérieur énorme d'une femme qui était dans la même position que la « Sainte » d'Alfred de Musset au

Jardin des plantes. Contournant l'obstacle, il s'aperçut qu'elle était en train d'ouvrir un énorme cabas plein d'écrevisses.

« C'est à vendre ? demanda-t-il incrédule.

— C'est à vendre ! »

Déjà deux personnes s'étaient arrêtées dans son dos, le début d'une queue dans laquelle les derniers arrivés ignoraient ce qui avait attiré les premiers. On prenait sa place d'abord, on se renseignait ensuite. Comme tous les badauds qui le suivaient, François Blondeau, quand il allait en ville, prenait toujours un sac quelconque, « au cas où ». C'est d'ailleurs ainsi que les Russes l'appelaient ; ils prenaient leur « cas où ».

Ce jour-là, les Blondeau invitèrent les Trocmé pour un buisson d'écrevisses qui flamberait comme un soleil dans leur mémoire.

Et il valait mieux, en effet, être en forme car le travail ne manquait pas.

Le plus pressé était de commander les billets pour Moscou. Ce serait plus simple finalement que d'aller à Pskov, car il n'était nul besoin d'un visa pour sortir du pays : l'OVIR n'était pas concerné. Il faudrait ensuite voir avec les Trocmé comment on allait s'y prendre pour contacter Jean Vilar. La troupe arrivait en fin de matinée le dimanche 19 et elle jouait *L'Avare* le soir même. La première occasion qui se présenterait, ce serait donc à la fin de la représentation et François voulait discuter de la meilleure manière de s'y prendre.

Finalement, les choses se passèrent au mieux. Le spectacle avait lieu dans une maison de la culture de construction récente, au décor sobre et même sévère. La simplicité du lieu s'accordait à celle des spectateurs. L'élégance n'était pas de mise, les stylistes soviétiques ne donnant pas dans les catégories bourgeoises du joli ou du raffiné. Le contraste aurait été beaucoup plus violent au théâtre Kirov, dont le luxe ostentatoire, héritage assumé des années tsaristes, faisait ressortir la pauvreté vestimentaire du public. Mais l'URSS était bien le seul pays où les Blondeau eurent jamais l'impression que ce qu'on appelait « le peuple » avait accès aux formes les plus hautes de la culture, du fait de la modicité des tarifs, de l'abondance et de la variété de l'offre, et d'une volonté réelle de répandre le goût du beau jusque dans les masses populaires, pour reprendre le vocabulaire officiel. L'année précédente, déjà, ils s'étaient fait la même réflexion, lors d'une représentation de *Gisèle*. Ils avaient été surpris, en arrivant, de voir que la totalité du Kirov était occupée par des adolescents. On était au milieu des vacances de printemps, quelques dizaines d'enseignants avaient été rappelés pour encadrer plusieurs centaines de collégiens et les conduire au spectacle, qui était gratuit. Les artistes qui se produisirent devant ce public n'étaient pas des seconds couteaux. Toutes les stars de la troupe étaient là, celles qui faisaient la réputation internationale de l'ancien Mariinsky. Rien à voir avec les tristes « séances scolaires » qu'ils avaient connues dans leur enfance ! Et si les enfants se tenaient « bien », leur sagesse n'était pas l'effet d'une quelconque discipline, mais bien celui d'un début de compétence qui leur permettait d'apprécier le spectacle.

Les Blondeau ne tenaient pas un tableau des scores pour comptabiliser les performances comparées des sociétés bourgeoise et socialiste ; l'auraient-ils fait, à la rubrique « culture populaire » et malgré les stupidités de la censure, ils auraient dû inscrire : « Communisme : 1/Capitalisme : 0 »

Quand, enfin, Cléante eut obtenu sa Mariane et Harpagon récupéré sa cassette, le public, debout, applaudit longuement. Les quatre conjurés mirent à profit le nombre des rappels pour gagner d'abord les allées latérales, puis, applaudissant toujours, se rapprocher de la scène, deux à gauche, deux à droite. Une diminution soudaine de l'éclairage était le signal convenu pour le déclenchement de l'action. D'un bond, ils furent sur le plateau et se faufilèrent dans l'entrebâillement du rideau qui se refermait. Il n'y avait déjà plus personne derrière, à l'exception d'une grosse femme que leur irruption plongea dans la stupeur. Elle ne savait qu'écarter ses petits bras, ne sachant si elle devait protéger son aile droite ou son aile gauche, et criant d'une voix pointue :

« Interdit ! C'est interdit ! S'il vous plaît ! »

Mais il était trop tard. Marc-Olivier avait déjà pris langue avec un des acteurs, que le tumulte avait alerté. Deux de ses collègues le rejoignirent et il se forma en quelques secondes un petit groupe, curieux d'abord, puis amusé. Les trublions se présentèrent, s'excusèrent beaucoup et demandèrent la permission de s'entretenir avec Jean Vilar. Celui-ci était dans sa loge, assis devant un grand miroir, en train de décoller précautionneusement ses fines moustaches, qu'il rangeait dans une petite boîte en plastique. Il écouta les émissaires de l'université avec beaucoup de bienveillance et les invita à se mettre en rapport avec la personne chargée des relations publiques, qui gérait son agenda. Celle-ci à son tour prit note de leur invitation et promit une réponse pour le lendemain matin.

Et c'est ainsi que, le 20 avril, sur le coup de 17 heures, les Blondeau et les Trocmé, pas peu fiers, firent leur entrée à la faculté des lettres avec leur prise de guerre, un Vilar un peu perplexe mais heureux : ses ravisseurs avaient eu le temps de lui apprendre que le candidat socialiste qu'il soutenait aux législatives l'avait emporté, à Grenoble, sur son adversaire gaulliste.

Elaguine et Zaboulkina avaient bien fait les choses. La grande salle qu'ils avaient retenue était pleine. Il y avait même une vingtaine d'auditeurs qui se tenaient debout contre le mur du fond. Les Blondeau s'assirent modestement sur l'estrade, au pied du bureau. Ce que disait l'invité importait peu. Les gens voulaient le voir, ils voulaient le symbole de cette visite, qu'ils ressentaient comme un hommage et un encouragement. Le seul moment où le héros du jour fut mis en difficulté fut quand l'impitoyable phonéticienne de Lucile le pria de répéter un mot, dont la prononciation la surprenait.

Dieu merci, la phonéticienne n'était pas invitée au déjeuner de l'Astoria ! Le restaurant était presque vide. Les invités s'installèrent à une longue table, selon une hiérarchie tacite qui mit face à face Jean Vilar et le professeur Elaguine. Zaboulkina et le conseiller Thibaudeau venaient ensuite, le reste au petit bonheur. Le hasard fit que Dimitri Platonov eut comme voisin un diplomate inconnu, qui accompagnait le conseiller, et qui leur fut présenté comme un haut fonctionnaire du quai d'Orsay en mission à Moscou. Il désirait être de la fête, et les lecteurs constatèrent qu'il ne tarda pas à engager la conversation avec leur ami. Un peu avant le dessert, Zaboulkina se leva et prononça un petit discours dans lequel elle sut mettre assez d'humour et de sincérité pour faire passer les banalités convenues de ce genre d'exercices. Vilar la remercia sobrement. Puis on se sépara en se donnant rendez-vous le surlendemain pour le Marivaux. Les Trocmé regagnèrent leur hôtel, les artistes allèrent visiter la ville, les Russes retournèrent à leurs affaires, et les Blondeau, retenus par un signe discret de Thibaudeau, se retrouvèrent seuls avec lui et son compagnon. Tous quatre, quittant l'hôtel, s'en allèrent flâner le long des canaux en bavardant.

Le « diplomate en mission » se présenta plus explicitement comme un spécialiste des questions de sécurité au ministère des Affaires étrangères. Il s'appelait Méricourt.

Au moins les acteurs qu'ils venaient de quitter assumaient-ils au grand jour la double nature qui était l'essence même de leur métier. Ils ne trompaient personne. Mais dans la comédie des masques où les avait entraînés le goût de Platonov pour une littérature de contrebande, les Blondeau en étaient toujours à s'interroger sur le vrai et le faux des personnages auxquels ils avaient à faire. Et voilà que le conseiller s'en mêlait, en sortant de son chapeau une marionnette supplémentaire, créature à double face, toute prête à jouer sa partition dans *L'Illusion comique* ou *Les Acteurs de bonne foi*, de ce même Marivaux que le TNP avait apporté dans ses bagages. Le faux-semblant était décidément la vérité profonde de ce pays en trompe-l'œil, de cette ville où les monuments ressemblaient à des décors d'opéra et où le recours systématique à la « bruxellisation » faisait que, derrière la façade imposante de beaucoup d'hôtels particuliers, de maisons bourgeoises et quelquefois même de palais, se cachait un empilement de cabanes exiguës, séparées par de minces cloisons et dans lesquelles s'entassaient familles ou bureaucrates.

« M. Thibaudeau m'a informé des difficultés que vous avez rencontrées… »

M. Méricourt ne perdait pas de temps, il était en effet en mission.

« … et je suis donc venu pour convenir avec vous de la marche à suivre. Deux points : Un : il faut vous soumettre à l'ultimatum de Grigorenko et lui faire savoir que vous serez à votre poste l'année prochaine. Deux : en même temps vous allez préparer votre retour définitif en France, qui devra se faire le 28 juin, au lendemain du départ du Président. Les Russes tiennent beaucoup trop à ce que cette visite soit un succès pour faire quoi que ce soit qui pourrait la contrarier. Nous sommes donc tranquilles pour deux bons mois. »

Les Blondeau apprécièrent l'euphémisme diplomatique du « convenir avec vous » et le comprirent pour ce qu'il était, un ordre formel sous les apparences d'une concertation. Ils notèrent aussi que Méricourt n'avait pas l'air de connaître les prétextes que Lev Grigorenko tenait à la disposition des tribunaux pour faire pression sur eux. Tout en parcourant lentement le quartier de la Petite-Hollande, admirant les ponts, les fers forgés et les parapets, les quatre touristes poursuivirent longuement leur conversation, de laquelle les espions malgré eux retinrent un certain nombre de consignes.

D'abord, on leur conseillait d'appeler rapidement Platonov pour lui communiquer leur décision. Platonov, de préférence à Grigorenko.

« Grigorenko est trop fort pour vous. C'est un homme dangereux, il vous ferait dire plus qu'il ne faut. J'ai vu votre Platonov, c'est un sous-ordre. »

Ensuite, il importait de prendre des mesures pour donner du crédit à leur promesse. Qu'ils évoquent discrètement, auprès de leurs étudiants, des projets de voyage pour l'année suivante, qu'ils ouvrent surtout un compte dans une caisse d'épargne et y déposent leurs économies. Le rouble n'étant ni exportable ni convertible, c'était une démarche nécessaire et probante.

« Évidemment, c'est de l'argent perdu ! Mme Blondeau, vous avez un manteau de fourrure ?

— Oui…

— Vous le porterez au "Lombard". C'est une espèce de Mont-de-Piété où les Russes empruntent sur gages. On peut aussi y déposer des objets de valeur. Ils y sont en sécurité, renseignez-vous. »

Grimace de Lucile, pas contente.

« Mais enfin, qu'est-ce qu'il y a donc de si important dans ces fichus bouquins pour que je leur sacrifie ma fourrure ?

— Moins vous en saurez mieux ça vaudra ! »

De son côté, M. Thibaudeau allait ouvrir les négociations avec le ministère de l'Enseignement supérieur pour décider des affectations de 1968. Il proposerait leur candidature, qui serait évidemment acceptée.

« Pour votre retour, vous vous organiserez de la manière suivante… »

Les Blondeau devaient remplir deux cantines d'effets personnels que Bernard Lobjeu viendrait prendre en voiture dans la semaine du 20 juin. On leur trouverait une place dans les soutes de l'avion présidentiel et ils n'auraient qu'à contacter la DGRCST[3] pour les récupérer plus tard. Le 27 au soir, ils prendraient la *Flèche rouge* pour Moscou, avec les quarante kilos de bagage autorisés en avion. À 9 heures, ils se présenteraient à l'ambassade, pour retirer les billets d'Air France qui leur étaient dus par le service puisqu'ils quittaient leur poste.

« Ça compensera la perte du manteau de fourrure ! »

Et drôle, avec ça ! Mais ils retinrent que M. Méricourt réglait sans le savoir un problème qui les embêtait fort : l'exportation d'un certain nombre d'antiquités et d'éditions anciennes qu'ils avaient collectées en deux ans, et que même l'épinglette de Platonov n'aurait pas pu soustraire à la vigilance des douaniers.

Pendant toute la conversation, Thibaudeau n'avait pratiquement rien dit. Comme Platonov, il laissait parler son chef.

Les promeneurs s'en revinrent tout doucement vers l'Astoria.

---

3. *Direction générale des relations culturelles, scientifiques et techniques.*

XI

Trois semaines plus tard, le printemps de Leningrad avait rattrapé celui de Paris. Les Blondeau, ayant réintégré leur domicile sur les bords de la Grande Nevka, pouvaient faire le point et préparer l'avenir.

Leur voyage en France avait permis à l'un et à l'autre de saluer leur famille et quelques amis. Le père de François se remettait difficilement d'un infarctus dont sa mère lui avait dissimulé la gravité pour ne pas l'inquiéter.

À Paris, ils avaient accompli, eux aussi, leur « mission ». Mais quand même, pour aller du Palais-Royal à Saint-Sulpice, ils s'étaient offert le plaisir d'un détour nostalgique par les lieux de leur pas si lointaine jeunesse estudiantine, en commençant par un petit voyage sur la plate-forme du « 21 », avant de traverser à pied l'île de la Cité et le Pont-Neuf, jusqu'à la fontaine Saint-Michel. Le Boul'Mich' s'étendait devant eux, avec ses brasseries et, face à la rue des Écoles, *Gibert Jeune*, où ils avaient si souvent joué des coudes pour récupérer des « polycops ».

La Sorbonne était tout près. Ils parcoururent la longue galerie où ils allaient prendre connaissance de leurs résultats aux examens, ressortirent place de la Sorbonne, longèrent la librairie du PUF, jusqu'à la rue Soufflot. Traversant le boulevard, c'étaient maintenant les grilles du jardin du Luxembourg qui s'ouvraient toutes grandes sur un printemps parisien de carte postale : soleil éclatant, ombres mouvantes des platanes, gamins autour du grand bassin, au loin le petit théâtre de marionnettes.

L'atmosphère viciée de l'URSS les rattrapa quand ils se présentèrent devant la vitrine de l'inquiétant Semion. Même la saison s'était soviétisée. Le soleil ne pénétrait pas dans cette rue étroite et il y faisait presque froid. Rien n'avait bougé dans la vitrine, et quand ils poussèrent la porte, le carillon retentit avec la même impétuosité que la première fois, faisant surgir de nulle part, comme par un effet mécanique, un petit bonhomme volubile, dont l'œil et le sourire semblaient capables de s'adapter instantanément à la nature de l'intérêt que ses clients prenaient à sa boutique à double étage. Reconnaissant dans les

Blondeau des amateurs du sous-sol, l'œil se fit malin et le sourire complice.

« Tiens donc ! Les amis de Vassia ! Comment allez-vous ? Y aurait-il quelque chose que je puisse encore faire pour vous ? J'espère que ma Gamiani a donné satisfaction ? Vous êtes à Paris pour longtemps ? »

Et tout en pépiant ses questions, il descendait vivement le colimaçon qui conduisait au labyrinthe érotique.

« Notre ami aimerait avoir un exemplaire d'*Histoire d'O* que Pauvert a publié en 54. Vous avez ça ?

— Ah bon ! Il aime ce genre ? C'est curieux, ce sont plutôt les catholiques qui me demandent ce titre. On dirait que vous avez des affinités particulières avec la souffrance. Vous en connaissez d'autres, vous, des religions qui affichent avec autant d'obstination des scènes de torture ? Le Christ en croix, vous le portez autour du cou, vous l'accrochez au-dessus de votre lit, vous l'érigez à tous les carrefours. Et je ne parle pas de vos martyrs ! Corps percés de flèches ou brûlés vifs ou donnés aux lions, seins découpés en rondelles, on peut dire que vous avez le goût du sang ! Regardez nos icônes : la crucifixion y est un thème très mineur… »

Mais tout en bavardant, il fouillait dans un carton.

« *Histoire d'O* vous plaira. Et je vous trouverai du Sade quand vous voudrez ! Quand Pauvert a sorti ce livre, j'en ai acheté une vingtaine. Pure spéculation, je vous assure, je pensais bien qu'il deviendrait rapidement introuvable. Ah ! En voici un beau ! J'ai d'ailleurs appris que Tchou, à son tour, allait le publier l'année prochaine, avec des illustrations de Leonor Fini. Et Régine Deforges s'apprête à rééditer *Le con d'Irène* d'Aragon. Un communiste. Ça devrait intéresser votre ami ? »

Un peu étourdi par ce bavardage, François Blondeau feuilletait l'ouvrage. Au moins, celui-ci n'était pas illustré ! Il tâtait aussi le papier, sans arriver à conclure : avait-il été trafiqué, lui aussi ?

« Pauline Réage, c'est un pseudonyme ?

— Naturellement, Pseudonyme et Anonyme sont les deux auteurs les plus représentés dans mon catalogue ! »

Madame O était hors de prix. François paya sans sourciller : il ajouterait la dépense à la perte de ses économies et de la pelisse de son épouse sous la rubrique « Rançon de notre liberté ».

Quand ils débouchèrent de l'escalier tournicotant, ils s'aperçurent que le gros chat roux qu'ils avaient remarqué lors de leur première visite dormait toujours à la même place. Ils en firent la remarque au vieillard qui répondit mi-amusé mi-attendri :

« Belzébuth ? Mais il est empaillé ! Après douze ans de compagnonnage, je n'ai pas eu le cœur de m'en séparer. »

Avant de le quitter, les Blondeau ne manquèrent pas de faire savoir à Semion qu'ils auraient encore besoin de ses services à la rentrée. Ils se sentaient tout fiers de si bien jouer la comédie.

« Au fait, vous avez des nouvelles de Vassia ?

— Je ne l'ai pas revu depuis votre première visite. Je crois qu'il ne quitte plus guère Londres, maintenant. »

C'est seulement en sortant qu'ils remarquèrent l'enseigne de la boutique : *Au Dieu caché*. Dans la cave ?

Les commissionnaires de Platonov regagnèrent vivement leur hôtel. Pour respecter les consignes de Thibaudeau, ils posèrent leur emplette dans la valise, rabattirent le couvercle et s'en allèrent revoir Paris. « Quelqu'un » sans doute viendrait voir le livre, mais qui ? Pour quoi faire ? Et puis flûte ! Qu'ils se débrouillent ! Ils passèrent l'après-midi dans les musées et les magasins, et finirent la soirée à côté, à la Comédie-Française, qui donnait un Pirandello. En rentrant à l'hôtel, François était fourbu, Lucile ravie : il ne lui avait fallu que deux magasins pour trouver des chaussures assorties à son nouveau sac à main. Quand même, il lui faudrait vérifier à la lumière du jour !

Mais c'était à désespérer de la douane soviétique. À leur arrivée à Cheremetievo, personne ne s'intéressa à leurs bagages et l'épinglette de Platonov resta une nouvelle fois dans le portefeuille de François. Peut-être aussi avaient-ils droit à un traitement de faveur, *pour services rendus* ?

La *Flèche rouge* partant à minuit, ils firent un tour à l'ambassade dire bonjour à leur amie Josette. Thibaudeau et Lobjeu étaient absents, il n'y avait dans leur bureau que le conseiller scientifique qui téléphonait d'une voix tonitruante et qui leur fit simplement un petit signe de la main.

À l'université, les cours se raréfiaient, les trois professeurs amateurs de poésie étant retenus par la préparation des examens. Pour la même raison, on rencontrait moins souvent des étudiants français dans les couloirs, quelques-uns étant déjà repartis pour passer l'écrit de l'agrégation. Même leurs élèves russes se faisaient moins fidèles ; ils révisaient, eux aussi, principalement l'histoire du Parti communiste de l'Union soviétique, épreuve obligatoire et décisive, qui pouvait à elle seule décider d'une licence de lettres ou de biologie. Le petit service de bibliothèque des lecteurs fonctionnait encore, *Thérèse Desqueyroux* faisait une carrière honorable à la chaire de cinéma. C'est Marc-Olivier qui l'avait rapporté et Dourakinova n'avait fait aucune objection, ayant cette fois tout compris du premier coup.

Avant de revoir Platonov, ils examinèrent quelques pages de leur cadeau par transparence. Pas de doute, les hiéroglyphes attendus s'y trouvaient. « *Vsio vpariadkie !* » Dans les huit jours qui suivirent leur retour, ils allèrent donc le porter à son destinataire, l'informèrent de leur décision pour la rentrée et ouvrirent un compte dans une *cbirkassa*.

L'entrée du « lombard » se trouvait dans la cour intérieure d'un immeuble banal côté rue mais carrément sordide côté cour. Les murs étaient décatis, les volets de guingois, une aire de jeu misérable jouxtait une espèce de décharge où l'on reconnaissait l'épave démantibulée d'un camion qui datait au moins des années du blocus. Les poubelles débordaient, des parpaings, des poutrelles, jonchaient le sol. Dans l'escalier qui montait aux guichets, une foule de pauvres gens, tout droit sortie de *Crime et Châtiment*, attendait patiemment de gravir une marche, puis l'autre. Les Blondeau prirent leur tour dans la file derrière un vieillard aux vêtements misérables, mais dont le visage amaigri avait une espèce de dignité aristocratique. Il tenait dans les bras, comme un bébé dans ses langes, un objet mal empaqueté, dans lequel on devinait une faïence assez belle. Qu'en espérait-il ? Le vison de Lucile, quand elle le déballa, fit sensation. Ce n'était pas un gage, qu'elle déposait, mais l'établissement fonctionnait aussi comme une consigne où l'on conservait en sécurité des objets de valeur.

Et maintenant, Kiji ! Un bon bol d'air leur ferait du bien.

Le site avait été créé en 1960, autour du chef-d'œuvre absolu de l'architecture traditionnelle en bois, l'église de la Transfiguration, dont les vingt-deux bulbes patinés d'argent montaient en pyramide dans le ciel de Carélie. L'enclos paroissial qui la contenait se trouvait sur une île du lac Onega, et les Russes avaient eu l'idée d'y rassembler d'autres monuments, inaccessibles *in situ*, pour constituer là un musée en plein air. Ouvert au public, et même aux étrangers, Kiji, en 67, avait peu de visiteurs. Les Blondeau ne pouvaient pas quitter le pays sans avoir vu cette merveille.

La demande de visa, avec les passeports, avait été déposée au Bureau des étrangers :

Destination : Kiji

But du voyage : tourisme

Date : 12 juin

Moyen de transport : le train

Lieu de séjour : aucun, les voyageurs prenant un train de nuit.

Il n'y avait qu'un problème, c'est que, si l'île était ouverte aux étrangers, Petrozavodsk, capitale de la Carélie et port d'embarquement, était, elle, interdite ! Son nom signifiait « l'usine de Pierre », c'était une usine militaire, et les Blondeau se demandaient comment les Bureaux s'y prenaient pour résoudre cette contradiction éminemment dialectique.

De la manière suivante : à la descente du train, sur le coup de 7 heures du matin, les voyageurs furent accueillis par deux fonctionnaires qui connaissaient le numéro de leur wagon. Ils les firent monter dans une limousine à rideaux et les conduisirent dans le principal hôtel de la ville, où on leur servit un petit déjeuner. Ils attendirent là deux bonnes heures. Puis on les mena au port, et l'un de leurs accompagnateurs monta à bord avec eux pour les présenter au capitaine. Le bateau était plein car il desservait d'autres destinations sur le lac. L'homme fit le voyage avec eux.

En arrivant à Kiji, il ne restait, avec les Blondeau, qu'un groupe de touristes russes. Le temps avait passé, il était l'heure de déjeuner. On installa les deux étrangers dans une salle à part, où ils furent servis par deux femmes, ravies de rencontrer des Français qui baragouinaient leur langue et dans la sécurité, si rare, d'un tête-à-tête. Mais en sortant de la *stalovaïa*, surprise et inquiétude : le cerbère était toujours là ! Il les accompagna sur plusieurs centaines de mètres, sans dire un mot, jusqu'au portillon qui marquait l'entrée de l'enclos paroissial. Arrivés là, il consentit à les laisser tranquilles et ils ne le revirent pas avant le bateau du soir.

Sur l'île, ils firent consciencieusement leur travail de touristes, entrant partout, regardant tout. Le souvenir exceptionnel qu'ils en garderaient tenait autant aux conditions de la visite qu'au site lui-même. Pendant près de quatre heures, ils purent s'imprégner en solitaires de la beauté des lieux. Kiji était à eux tout seuls, le « groupe » circulant selon les prescriptions de son programme, et ils purent, assis dans l'herbe et sous le soleil, croire un instant qu'ils étaient admis à communier avec un canton secret de cette fameuse âme russe dont on nous rebat les oreilles sans jamais nous la faire entrevoir. Eux, ils en avaient ce jour-là ressenti la grandeur.

À leur retour, ils téléphonèrent à leurs collègues pour rendre compte de leur voyage. Marc-Olivier était à l'Institut, ce fut Katarina qui leur répondit, avec ce léger accent qui ajoutait à son charme. Quand ils eurent terminé leur récit, elle leur demanda s'ils avaient lu le dernier numéro du *Monde*.

« Tu sais, on vient de rentrer, on a deux ou trois numéros de retard…

— Regardez donc en page trois, il y a un truc assez marrant ! »

« Marrant » ne voulait pas dire « urgent ». Ils prirent donc le temps de déjeuner avant d'ouvrir le journal ; mais ce qu'ils y trouvèrent, ils ne le jugèrent pas « marrant » du tout :

> ***Vers une crise franco-soviétique ?***
> *À quelques jours de la visite du général de Gaulle en URSS*[4]*, des rumeurs persistantes font état de la mise à jour, par les services du contre-espionnage,*

---

4. La visite du général de Gaulle a eu lieu en 1966, et non en 1967. L'auteur s'est permis ce déplacement chronologique pour les besoins de l'intrigue.

> *d'un important trafic de données sensibles entre la France et l'URSS. Un fonctionnaire français détaché dans le pays serait impliqué. Interrogé sur la question, le porte-parole du Quai d'Orsay…*

Les micros étant au courant, il n'était pas nécessaire de mettre un disque.

« Tu crois que c'est pour nous ?

— Je ne vois pas d'autre explication.

— Il y a d'autres "fonctionnaires" que nous dans le pays ! Et puis, Grigorenko n'a aucune raison de mettre sa menace à exécution ! »

Mais ils gardèrent pour eux deux autres questions, plus dérangeantes : la DST – si c'était elle qui était concernée – avait-elle agi sans concertation avec le ministère, qui ne voulait surtout pas de vagues ? Et surtout : les Soviétiques auraient-ils deviné le double jeu des Blondeau ? Dans ce cas-là, leur vengeance était à craindre. Ils ne s'en tiendraient pas forcément à un simple mouchardage auprès de leurs collègues et néanmoins rivaux du camp d'en face.

Heureusement la visite présidentielle et les préparatifs du départ les empêchèrent de gamberger plus longtemps. Il fallait commander les billets, préparer les cantines pour Lobjeu, faire la tournée des adieux et vider les placards de toutes les provisions qu'ils y avaient entassées. Ils donnèrent tout à Sophia Semionovna. Pauvre chère *Koukes* ! C'était pitié de voir cette vieille femme trembler d'excitation en remplissant ses deux grands sacs avec tous ces trésors : de la farine ! de l'huile d'olive ! du sucre ! des oranges ! Ils l'accompagnèrent en taxi jusqu'au pied de son immeuble, mais durent la laisser seule monter tout cela au troisième étage. Elle habitait un logement communautaire et il ne fallait pas que ses colocataires voient qu'elle traficotait avec des étrangers.

Pour la visite du Général, l'ambassade avait bien fait les choses. Les lecteurs étaient invités à l'aéroport pour son arrivée, ils avaient reçu des billets pour *Le Lac des cygnes* au Kirov, et surtout une invitation en bonne et due forme au repas officiel que le Soviet municipal offrait à la délégation française dans l'ancien Palais Marie, du nom d'une fille de Nicolas 1er.

Ce déjeuner d'apparat se révéla une épreuve redoutable, à cause d'une disposition que les Blondeau ne remarquèrent pas tout de suite : le long des trois murs qui bordaient l'immense table en U du banquet, on avait déposé, tous les cinq ou six mètres, des casiers pleins de bouteilles de vodka. Entre chaque casier, se tenait debout, une bouteille ouverte à la main, un échanson uniquement préposé au service de la « bonne petite eau » – le mot *vodka* étant le diminutif affectueux du mot *voda* qui désigne l'eau. Or, pour des raisons évidentes de protocole, le plan de table alternait Russes et Français, ce qui limitait beaucoup les possibilités de conversation. François, en particulier, avait, à sa droite, le directeur de l'Ermitage, qui ne parlait que le russe et l'allemand, et, en face de lui, un adjoint à la culture qui n'en savait pas davantage. Toutes les cinq minutes, celui-ci, sans se retourner, levait la main comme un élève qui connaît la bonne réponse. Aussitôt, la bouteille de vodka s'approchait, et ravitaillait le donneur d'ordre et ses voisins immédiats.

« À l'amitié franco-soviétique ! »

Comment refuser ? C'était donc cul sec, d'un ample mouvement du coude. Quand vint l'heure des discours, l'adjoint à la culture avait souvent levé la main, puis, de concert avec ses « amis franco-russes », le coude, et comme la scène s'était répétée de multiples fois, au moins sur les deux longues branches du U, la partie française de l'assistance était dans une situation délicate. Elle se tint bien pourtant, jusqu'au bout, et sut éviter l'incident diplomatique. Mais quand sonna l'heure de la dispersion, Marc-Olivier Trocmé se précipita en vitesse dans l'escalier, pour filer à l'aéroport d'où un avion le conduirait à l'oral de l'agrégation, et les Blondeau ne perdirent pas plus de temps à regagner leur appartement. On était le 25. Mirecourt avait fixé leur départ au lendemain de celui du général, donc le 28. Il leur restait une grande journée pour faire les valises, et dépenser leurs derniers roubles dans le magasin commissionné de la Nievski. Renonçant à contrecœur à un superbe échiquier d'ébène et d'ivoire mais qui avertissait en énormes caractères qu'il était interdit de l'exporter, ils se rabattirent sur une boule de Canton. Trois cents roubles, exactement ce qu'il leur restait. Puis ils prirent une dernière fois le « 23 » en direction du quai de l'amiral Ouchakov, afin de rendre les clés de l'appartement 128 à la dame aux draps. Ils la remercièrent pour la qualité de ses services, et allèrent s'installer dans le hall d'un hôtel à côté de la gare en attendant l'heure du train.

Et le lendemain, à 9 heures précises, ils se présentaient au service culturel de l'ambassade de France à Moscou. Thibaudeau et Lobjeu étaient là tous les deux et les saluèrent cordialement. Puis le conseiller leur tendit une enveloppe :

« Voici vos billets ! Dans une demi-heure, le chauffeur de l'ambassade vous conduira à Cheremetievo. »

François ouvrit l'enveloppe.

« Mais c'est un vol Aeroflot !

— Quelle importance ?

— Aucune, mais dans un avion français on se sent déjà un peu à la maison… »

On les interrogea sur leurs projets. Où seraient-ils à la prochaine rentrée ? Les Blondeau n'en savaient rien. Ils ne voulaient pas réintégrer l'Éducation nationale. À tout hasard, ils avaient répondu à une université australienne qui cherchait deux professeurs de français. Thibaudeau proposa ses services si on leur demandait un référent et ils se quittèrent bons amis.

Quelques heures plus tard, leur Iliouchine se posait à Roissy et, lentement, les exfiltrés de Leningrad commencèrent à descendre la passerelle en direction de la liberté.

À Moscou, dans la soirée du même jour, Lev Grigorenko attendait la visite d'un collègue.

« Salut Piotr ! Je voudrais faire le point sur nos affaires. Où en sont les Blondeau ? Platonov m'a fait savoir qu'on pourrait compter sur eux l'année prochaine. Tu confirmes ?

— Pitkovski confirme. Svetlana, à l'ambassade, aussi. Anna Dimitrievna m'a informé de son côté qu'ils avaient laissé des effets personnels dans leur logement, mais que les deux grosses cantines avaient disparu.

— Elles sont probablement à l'ambassade. Il y a eu beaucoup de mouvements ces temps-ci. Autre chose ?

— Ils ont ouvert un compte dans une *sbirkassa* et déposé huit cents roubles.

— C'est déjà plus sérieux ! »

En prenant de l'assurance, Léon le Niais avait cessé de mériter son surnom, mais il avait peut-être tendance, maintenant, à se surestimer et à préjuger un peu vite du succès de ses entreprises : Piotr n'avait pas terminé son rapport.

« Mais je viens de recevoir de Paris des nouvelles inquiétantes. C'est notre chef d'escale à Roissy qui m'a téléphoné…

— Smirnov ?

— Oui, Smirnov. Un steward de l'Aeroflot lui a affirmé que les deux Blondeau avaient été arrêtés au pied de la passerelle et conduits dans le salon d'honneur, à l'écart des passagers. Il a immédiatement détaché un homme et un véhicule pour voir la suite.

— Et alors ?

— Au bout d'une demi-heure, ils ont récupéré leurs bagages et sont montés dans un fourgon cellulaire. L'homme a relevé le numéro et il a réussi à les suivre jusqu'à la préfecture de police. Une heure après, ce sont deux fourgons qui sont sortis l'un suivant l'autre, dont le sien. Mais il n'a pas eu le temps de retourner à sa voiture et il les a perdus. À l'heure qu'il est, ils doivent être en tôle quelque part.

— C'est vraisemblable, mais pourquoi ? Est-ce qu'on aurait découvert notre petit commerce ? Dans ce cas, la visite à la préfecture, c'était pour les présenter à un juge d'instruction qui les a inculpés et mis sous mandat de dépôt. Et s'ils sont partis dans deux paniers à salade, c'est que l'un allait à la Santé, et l'autre à Fleury-Mérogis ou à la Petite-Roquette. Seulement, quand ils vont parler, c'est ce vieux fou de Semion qui va se trouver en danger ! Tu as toujours le contact avec Vassia ?

— Au *Pouchkine Club*, oui.

— Dis-lui de le mettre à l'abri. Qu'il ferme sa boutique et qu'il aille se planquer à Montgeron.

— Mais il y a un détail qui m'intrigue… Tu dis que c'est un steward de chez nous qui les a repérés ?

— Oui.

— Mais qu'est-ce qu'ils fichaient sur un vol de l'Aeroflot ?… D'habitude, on les met sur Air France ! On dirait qu'ils ont tout fait pour qu'on soit informés ! Tu as des nouvelles du labo de Leningrad ?

— Non. »

Grigorenko prit le téléphone.

« Passez-moi Golovkine à Leningrad…

— Allô ? Igor ? Lev, à Moscou… Tu as examiné le dernier envoi de Platonov ? »

La conversation dura quelque temps. Les données cachées dans *Histoire d'O* avaient été récupérées et transcrites. On n'avait rien remarqué d'anormal, le travail était même plus soigné, et le bouquin avait été rendu à Platonov.

« Quand même, répéta Léon comme pour lui-même, je me demande ce qu'ils fichaient sur l'Aeroflot… En tout cas, ça semble indiquer que ce que ces deux naïfs nous ont apporté, c'est du lourd. »

Et on ne savait pas, en l'écoutant s'il avait tellement changé depuis le temps où il allait goûter, en compagnie d'une jolie pucelle aux yeux verts, la médiocre cuisine de Mrs Kuhlman.

Épilogue

Kampala, juin 1973. La résidence de l'ambassadeur de France en Ouganda se trouvait sur la colline de Nakasero, à deux pas de l'une des demeures du président de la République, le général Idi Amin Dada. C'était une grande villa blanche dont le parc était un échantillon bien ordonné de tout ce qu'un jardinier compétent pouvait obtenir d'un climat équatorial.

L'orage quotidien venait de remiser ses grosses caisses et ses cymbales, le ciel s'était déjà nettoyé, mais les feuilles des eucalyptus, du flamboyant et des poinsettia n'avaient pas fini de s'égoutter. La giboulée avait ajusté la température à un degré idéal pour que pussent s'installer sur la terrasse, au bord de la piscine, six amis qui dégustaient paisiblement un *sundowner.* Ainsi désignait-on, chez les colons britanniques du Kenya voisin, le whisky *on the rocks* qui accompagnait le coucher de soleil. Un boy vêtu d'un *safari suit* blanc faisait le service avec la discrétion d'un pro habitué à la discipline des grandes maisons.

Il y avait là l'ambassadeur Albert Thibaudeau et sa femme Astrid, l'attaché de presse Dorcin et son épouse Marie-Chantal, ainsi que François et Lucile Blondeau, arrivés depuis peu de Melbourne, où l'ambassadeur était allé les dénicher, l'un pour diriger le département français de l'université Makerere, l'autre pour enseigner notre langue à la princesse du Toro, ex-*cover-girl* et future ambassadrice au Vatican, en attendant que l'université lui trouve un emploi à la faculté d'éducation. Encore un peu sonnés par le décalage horaire et le changement de climat, les nouveaux venus récupéraient de leur fatigue. Comme leur logement sur le campus n'était pas disponible, ils étaient les invités de Thibaudeau, qui avait mis à leur disposition la chambre d'amis de la résidence. On refaisait doucement connaissance, mais pour l'heure, c'était Dorcin qui parlait.

Il commentait avec un plaisir manifeste un événement tout récent, le crash, au salon aéronautique du Bourget, du Tupolev-144, le concurrent russe de Concorde. Les deux compétiteurs se ressemblaient tellement que le TU-144 avait été baptisé « *Concordski* ».

Le métier de Dorcin étant de tout savoir, il racontait avec verve une péripétie d'espionnage industriel qui était, selon lui, la cause de la catastrophe.

Deux ou trois ans plus tôt, la direction toulousaine de Sud-Aviation avait invité des collègues soviétiques à visiter le hall de construction de leur avion. Sans illusion sur les intentions de leurs hôtes, les services de sécurité étaient sur le qui-vive et s'étonnèrent d'une particularité vestimentaire de la délégation : tous ses membres portaient des chaussures à semelle crêpe. L'information fut aussitôt communiquée aux ateliers et l'on prit un peu de retard dans la réception et les discours qui précédaient la visite. Celle-ci se déroula sans le moindre incident et les constructeurs du Tupolev ne manquèrent pas de circuler abondamment dans les locaux.

À leur retour à Moscou, les chaussures furent envoyées à un laboratoire qui se livra à une analyse fine des particules métalliques qui s'étaient incrustées dans les semelles accueillantes des touristes industriels. Ils y découvrirent la composition des alliages utilisés pour la fabrication du Concorde. Conclusion de Dorcin :

« Si Concordski s'est cassé en deux pendant sa démonstration, c'est que les ingénieurs de Toulouse avaient passé l'aspirateur avant leur visite et semé à la volée quelques poignées d'une limaille sans rapport avec le Concorde ! »

Thibaudeau l'avait écouté en souriant.

« J'ai entendu parler de cette histoire, et elle est véridique. Mais vous savez, les Russes tenaient tellement à nous damer le pion – ils y sont parvenus d'ailleurs, car leur avion a volé avant le nôtre ! – qu'ils avaient monté de nombreuses filières de renseignement. »

Il se tourna vers les « Australiens » :

« Et les Blondeau en savent peut-être là-dessus plus qu'ils ne le croient !

— Nous ? s'exclama Lucile, avec une parfaite mauvaise foi, car elle voyait bien que l'ambassadeur les conduisait doucement vers un rappel de leurs aventures soviétiques.

— Je pense surtout à votre mari…

Dorcin, vous vous souvenez des cinq de Cambridge ?

L'attaché de presse avoua d'un geste son ignorance.

« Trop jeune, mon ami, trop jeune ! L'affaire a éclaté en 1951, mais elle a commencé bien avant la guerre. Les "cinq" étaient un groupe d'intellectuels brillants, convertis au communisme par pur idéalisme, et qui avaient décidé de tout faire pour aider l'URSS à rattraper son retard technologique sur les puissances de l'Ouest. Le contre-espionnage britannique se doutait bien de quelque chose mais ne trouvait rien. Ils ont commencé à comprendre quand Guy Burgess et Donald Maclean ont disparu de Cambridge pour réapparaître quinze jours plus tard à Moscou ! »

Sur les cinq, il en restait trois. L'un d'eux, Kim Philby, rejoignit les deux autres en 63, et on comprit pourquoi le MI6 ne trouvait rien. Son chef était en même temps le maître espion de Moscou !

« À l'heure où je vous parle, il en reste donc deux dans la nature ! »

Il y avait à proximité un enclos où l'ambassadeur hébergeait les quatre grues couronnées, emblèmes du pays et figurant à ce titre sur son drapeau, dont Idi Amin lui avait fait cadeau. Elles saluèrent la révélation ambassadoriale par une de ces chorégraphies saccadées dont elles avaient le secret.

« Et qu'est-ce qu'on vient faire là-dedans ? demanda François.

— M. Blondeau, vous étiez bien à Londres en 1960 ?

— Oui, au *Pouchkine Club* de Mrs Kuhlman…

— Et vous n'y avez pas connu un étudiant de Cambridge ? »

Blondeau se souvenait parfaitement de David Li-Cheng, si discret, si attentif aux propos du savant russe qui avait rendu visite au *Pouchkine Club.*

« Et vous m'avez dit, à Leningrad, y avoir rencontré aussi Lev Grigorenko ?

— C'est exact, mais à cette époque il s'appelait Léon Détrée et il n'habitait pas chez Mrs Kuhlman, il lui rendait seulement visite de temps en temps.

— C'est surtout Li-Cheng qui l'intéressait ! N'oubliez pas que le Concorde était un avion franco-anglais et que les deux pays s'étaient partagé les bureaux d'études ! Notre Léon, à cette époque, faisait la navette entre Londres et Montgeron avec dans ses bagages les documents en provenance de Cambridge. En même temps, il mettait en place la filière franco-russe en recrutant le vieux libraire de Saint-Sulpice, d'où partaient des ouvrages qu'une officine du KGB avait truffés d'informations tissées dans la trame même du papier. »

Le coup de génie des services soviétiques avait été de choisir la diaspora réactionnaire des émigrés russes pour y loger une partie de leur réseau !

Thibaudeau ne savait pas comment les bouquins passaient en Russie avant l'arrivée des Blondeau. Ou bien on ne lui avait pas tout dit, ou bien ses informateurs n'en savaient rien. Mais ils redevenaient sûrs d'eux à propos de Platonov. C'était un communiste irréprochable, mais ses goûts pour la pornographie le rendaient vulnérable. On lui avait donc promis de fermer les yeux sur sa bibliothèque rose, à condition d'y admettre de temps en temps des livres à double fond.

Vers 1965, quand les Blondeau étaient arrivés à Leningrad, la DST et le MI6 en savaient assez pour arrêter tout le monde. Mais le monde du contre-espionnage est perfectionniste, il a le goût de l'élégance dans la résolution des problèmes et il ne dédaigne pas d'y mettre une pointe d'humour. Au lieu d'y aller bêtement au fusil d'assaut, ils avaient trouvé plus subtil de retourner la filière à leur profit. Ils avaient donc imaginé cette astuce qui consistait à remplacer les ouvrages traités par les Russes par des copies, parfaitement imitées, mais subtilement entachées de quelques erreurs très dommageables pour le futur Concordski. Les premières interventions se firent sur des ouvrages qu'il fallut d'abord prélever dans les caves du « Dieu caché » avant de les remettre en place, et la Gamiani était donc déjà falsifiée au départ. Travail trop hâtif pour ne pas être imparfait. Mais pour l'*Histoire d'O*, c'était plus facile parce que le préavis était suffisamment long. Les faussaires avaient eu le temps de faire un travail soigné.

« Grâce à vous, ajouta Thibaudeau en se tournant galamment vers Lucile.

— Mais pourquoi nous, justement ?

— Je l'ignore. Pour une raison quelconque, le fil avait été rompu. N'oubliez pas que votre prédécesseur, Mlle Vidalie, a failli épouser un de leurs agents. C'est peut-être elle qu'il fallait remplacer. Heureusement, vous avez eu le bon réflexe en nous informant de votre découverte. Si vous vous étiez tus, vous vous seriez mis dans une situation très fâcheuse !

— On s'est quand même retrouvés à la Santé ! Vous pourriez peut-être nous expliquer pourquoi ? Et pourquoi ne pas nous avoir prévenus ? On était morts de peur, nous ! »

Cette question-là, les Blondeau se la posaient depuis six ans. Les Dorcin, dépassés, écoutaient sans rien dire.

« Vous prévenir était hors de question. Pour que les Russes mordent à l'hameçon, il fallait d'abord que la prise elle-même y croie ! Ce que nous voulions, c'est que nos adversaires n'aient aucun doute sur la valeur des renseignements que vous aviez fait passer. Votre arrestation spectaculaire, annoncée à demi-mot par une rumeur de presse, et votre incarcération immédiate après passage supposé devant un juge d'instruction, c'est le moyen qui a été choisi pour écarter définitivement toute suspicion. Les Russes étaient obligés de croire à la valeur de leurs trouvailles.

— Et le vol sur Aeroflot, c'était pour être bien sûr qu'ils seraient tenus au courant ?

— Vous avez tout compris ! Le personnel de bord avait des compétences multiples, vous savez. Et puis, entre nous, combien de temps avez-vous passé à la Santé ?

— Quelques minutes ! Le portail était à peine refermé qu'on nous a fait monter dans une camionnette de livraison qui nous attendait. On s'est installés à l'arrière, assis sur nos valises. Pendant le trajet, le chauffeur nous a expliqué que l'opération touchait à sa fin et qu'on allait nous rendre la liberté. Mais il y avait deux consignes à respecter : qu'on ne raconte à personne ce que nous venions de vivre et que nous ne remettions les pieds à Paris qu'en cas d'absolue nécessité. Pour tout le monde, sauf nos proches, nous étions en prison, et pour longtemps. Quand la voiture s'est arrêtée et que nous en sommes descendus, nous avons reconnu la gare de Lyon. »

Il faisait maintenant une nuit noire et le boy avait allumé une espèce de lampadaire, très haut et qui n'était pas du tout destiné à l'éclairage. C'était en réalité un piège pour attirer les moustiques et autres bestioles, qui se précipitaient sur l'ampoule éblouissante et s'y brûlaient instantanément les ailes. Un grésillement bref signalait chaque crémation et on voyait la victime tomber en feuille morte au pied du mât.

« Eh bien, cette fois, dit l'ambassadeur, je crois que le chapitre soviétique est clos. Espérons que le chapitre ougandais sera moins agité !

— Avec Idi Amin Dada ? »

La question souleva une certaine hilarité, le général ayant déjà fait la preuve de ses talents.

« Et puis moi, ajouta François Blondeau, j'ai du nouveau. Hier, à Makerere, j'ai été convoqué dans le bureau de Langlands, le doyen de la fac. Il m'a présenté deux femmes, deux enseignantes russes dont l'ambassade vient de faire cadeau à l'université. Comme il n'est pas question d'ouvrir un département de russe, il a décidé qu'elles seraient rattachées au département de français.

— Attention, Blondeau ! Qu'est-ce que vous savez de ces femmes ? »

L'une, jeune et jolie, était en fait une Ukrainienne. Elle ne parlait ni anglais ni français. L'autre était plus vieille, moins sexy, et parlait un bon anglais. Et elle était originaire de Leningrad ! Elle avait déjà bien roulé sa bosse, faisant partie de ces coopérants soviétiques que l'Égypte avait expulsés à grand fracas l'année d'avant. Indépendamment de ses activités pédagogiques, elle s'était manifestement mise en tête de chaperonner la petite, dont la croupe ondulante menaçait de mettre le feu au campus. Et l'ambassade les surveillait étroitement toutes les deux.

Toutes ces informations auraient peut-être intéressé l'ambassadeur, mais l'occasion était vraiment trop belle :

« Moins vous en saurez, mieux ça vaudra ! »

Mais les Blondeau le savaient bien, la parenthèse léningradoise était bel et bien close. Depuis sept ans qu'ils avaient quitté le quai de l'Amiral-Ouchakov et les caves de l'université, événements et personnages s'enfonçaient dans leur mémoire, se déposaient en sédiments sur les souvenirs déjà fossilisés de leur enfance, de leurs années d'études à la Sorbonne, et pour François, de la communauté hétéroclite du *Pouchkine*

Club. N'en resteraient bientôt que des images décousues, semblables à ces vestiges décomposés que les archéologues remontent du fond de leurs fouilles et à partir desquels ils s'efforcent de reconstituer une civilisation.

Encore ignoraient-ils, arrivant à Kampala, que Leningrad, capitale déchue d'une autocratie jetée aux poubelles de l'histoire, n'était déjà plus que la vitrine touristique, le piège à devises fortes d'un État moribond, et qu'à l'insu de tous, et même d'une future académicienne dont on interpréterait à tort un livre de sociologie politique comme une prophétie, l'Empire des Soviets était sur le point de se désagréger. Déjà Saint-Pétersbourg perçait à nouveau sous Leningrad, et l'effacement de cette dernière se lirait comme le symbole et l'achèvement de cette décolonisation dont l'URSS s'était faite hypocritement la championne tant qu'elle ne concernait que les autres. Par cette observation de bon sens, François Blondeau, bien des années plus tard, s'aliénerait l'amitié de cette même Irina qui l'avait, un jour, courageusement informé des menées de Dourakinova, mais que son passé de *komsomol* empêchait d'admettre certaines évidences.

Mais ce qu'ils devaient eux-mêmes admettre, et contre toute logique, c'est qu'ils garderaient de cette époque agitée et de cette ville ambiguë, une vraie nostalgie. Comment pourraient-ils expliquer, à leurs amis ou à leurs proches, qu'ils regrettaient cette capitale de la suspicion et des faux-semblants, les salamalecs hypocrites de Krassatkine, les mines renfrognées des serveuses et des caissières, les tracasseries du Bureau des étrangers ? Arriveraient-ils à leur faire comprendre qu'une vie peut gagner en intensité ce qu'elle perd en confort ou en sécurité, que les amis qui se révèlent au milieu des mouchards nous sont plus chers que les autres, et que les fatigues et les coups de colère qu'ils rapportaient des magasins avec leurs patates pourries et leur lait caillé, ils les oubliaient le lendemain en retrouvant les splendeurs des palais, le regard malicieux de Sophia Semionovna, et jusqu'au sourire attristé d'une amie qui s'était excusée un jour de ne pas les inviter parce qu'« il y a des choses que vous ne pouvez pas comprendre » ?

François Blondeau s'était expatrié pour ne pas s'enkyster trop tôt dans un poste de fin de carrière et dans la quiétude routinière d'une vie vécue d'avance. Il avait donc une dette de reconnaissance envers ce pays, au régime certes indéfendable, mais qui avait si bien répondu à ses attentes. Si donc il se décidait un jour à mettre des mots sur l'expérience qu'ils avaient vécue, il ne pourrait s'empêcher de rendre hommage à une ville disparue, dans laquelle ils avaient trouvé des trésors au milieu des immondices, des âmes d'élite dans la cohue des médiocres, des visages de vérité dans la mascarade des apparences et, à Pskov, les patriarches sublimes de Théophane dans les gravats d'une église dévastée. Il écrirait *Le Tombeau de Leningrad*.